Sete de paus

MARIO PRATA

SETE DE PAUS[1]

[1] A INCRÍVEL E REAL HISTÓRIA DA VENERÁVEL GRÃ-ORDEM DE SÃO FULDÊNCIO, IRRESPONSÁVEL POR VÁRIOS ASSASSINATOS NO BRASIL E NO EXTERIOR, INVESTIGADOS PELO AGENTE FEDERAL UGO FIORAVANTI NETO E SEU FIEL ESCUDEIRO DARWIN MATARAZZO.

Planeta

Sete de Paus é uma obra de ficção. Qualquer semelhança com pessoas (vivas ou mortas), locais ou cidades, navalhas ou baralhos, é uma puta coincidência.

Coordenação editorial: Débora Guterman
Revisão: Tulio Kawata
Capa: Graziella Iacocca
Imagem de capa: Pedro Napolitano Prata e Theo Craveiro
Projeto gráfico e diagramação: Renata Milan
Fechamento de arquivo: Gustavo Abumrad

Dados Internacionais de Catalogação na Publicação (CIP)
(Câmara Brasileira do Livro, SP, Brasil)

Prata, Mario
Sete de paus / Mario Prata. – São Paulo : Editora Planeta do Brasil, 2008.

ISBN 978-85-7665-416-2

1. Ficção policial e de mistério (Literatura brasileira) I. Título.

08-09507 CDD-869.93

Índices para catálogo sistemático:
1. Ficção policial e de mistério : Literatura brasileira 869.93

Editora Planeta do Brasil Ltda.
Avenida Francisco Matarazzo, 1500 – 3º andar – conj. 32B
Edifício New York
05001-100 – São Paulo-SP
www.editoraplaneta.com.br
vendas@editoraplaneta.com.br

PARA A TURMA DO UGO FIORAVANTI NETO

Arsène Lupin, Auguste Dupin, Cliff Janeway, Columbo, Ed Mort, Espinosa, Guido Brunetti, Harry Bosch, Hercule Poirot, Jean-Baptiste Adamsberg, Jules Maigret, Kurt Wallander, Lew Archer, Matt Scudder, *Miss* Jane Marple, Nero Wolfe, Pepe Carvalho, Perry Mason, Philip Marlowe, Reginald Wexford, Remo Bellini, Salvo Montalbano, Sam Spade e, é claro, Sherlock Holmes.

OBRIGADO

Adilene Adratt, Antonio Prata, Germano Almeida, Joaquim Haickel, Jorge Amaral, Lara Tomazini, Luciana Franzolin, Malu Cocato, Michela Damascena, Nancy Bertolini, Paulo Lencke, Sergio Antunes, Sérgio Otero, Stella Florence, Thalita Bittar, Tatiana Ribeiro e Thelma Kjaer.

Para Alê Corrêa

"Se reclamo total justiça para com a minha arte,
é por ser algo impessoal, algo além de mim mesmo.
O crime é comum. A lógica é rara."

Sherlock Holmes, de Conan Doyle

CAPÍTULO 0

UMA PROMESSA

Prometeu para a Valéria que mataria os sete. Quando eu comecei a escrever o livro, já havia matado três.

“A pistola dormia com aquele
seu jeito de lagartixa fria.”

Pepe Carvalho, de Manuel Vásquez Montalbán

CAPÍTULO I

VOU ACHAR O CARA QUE GOSTA DE SEGURAR EM PILA

– Tu achas que eu sou homem pra sair por aí cortando pau de marmanjo, chefia?

Fioravanti[2] estava diante do Diogão,[3] numa sala minúscula da cadeia de Florianópolis. Cada um numa cadeira de ferro meio enferrujada, um na frente do outro. Não havia mais nenhum móvel ali. Cheiro de mofo.

– Carcereiro,[4] pode tirar as algemas dele e esperar lá fora.

– Mas o elemento é de alta periculosidade, doutor...

– Vai!

Diogão, agora sem as algemas, levantou-se, alisou os punhos aliviado, abriu os braços, fez círculos no ar. Fioravanti tirou o maço de Camel. Ofereceu.

– Isso mata.

Fiora deu a longa tragada, como deve ser a primeira.

---

[2] **Ugo Fioravanti Neto** é agente da Polícia Federal de Santa Catarina. Entre 50 e 60 anos, idade que ninguém nunca soube direito, exceto o RH da instituição. Cabelos totalmente brancos, com rabo-de-cavalo. Alto, bonito. Tipo italiano, quase um metro e oitenta, olhos verdes. Honesto. Se ele não fosse investigador, poderia muito bem ser técnico de futebol argentino ou vendedor de carro importado, no Rio de Janeiro. O mau humor do técnico argentino e o bom humor do carioca.

[3] **Diogo da Silva Silvestre**. Traficante, 20 anos, mulato, faz sucesso entre as universitárias de Floripa. Viciado em leite condensado.

[4] **José Anastácio da Costa**, 34 anos, o Costinha do Santão, brutamontes com olhinhos de criança. Raspa os pêlos pubianos.

– Tás aqui por causa do meu pai?

– Saudades do teu pai, menino. Aliás, o tráfico também mata.

– E de emboscada. Filhos-da-puta!

Segunda tragada. Soltou bolinhas com a fumaça.

– O meu caso foi parar na Federal, é?

– Não. Estou aqui porque acredito que não foste tu, Diogão, que matou o professor Hans.

– Grande merda! Tinha tudo pra matar. Porra, o cara leva a minha mina prum spa... Nem gordinha ela é, caceta! (Longa pausa) Mas já assinei a confissão... Fudeu!

– Tou vendo no teu rosto. Os caras bateram legal, né?

– Uma semana... E ainda querem que eu entregue o meu cúmplice. Dizem que o troço foi praticado por duas pessoas. (Pausa longa) Afinal, eu tinha uns bons motivos pra matar aquele babaca. Mas a gente não mata porque recebe corno, não. Corno que mata é corno grã-fino. Fica com vergonha de sair na rua, ir nas festas, todo mundo comentando olha o corno! Lá na Mocotó tem disso, não. Se é corno, dá um travesseiro na mina e parte pra outra. E como é que eu vou arrumar um cúmplice?, me diz!

Fioravanti vai até a janelinha com grades.

– Que história é essa aí de cortar pau de marmanjo?

– Tás sabendo não, tio? Não deu nos jornais? Claro que não, professor da Universidade Federal, né? Casado... Ia pegar mal... Caparam ele!

Fioravanti leva um susto.

– Volta, volta! Cortaram o pau do cara depois de matar?

– Depois ou antes. Num tava lá... O cara foi achado morto com a pila enfiada na boca. Sangue pra tudo quanto era lado.

Fioravanti joga o cigarro ainda pela metade pela janela que dá para o pátio interno. Vê um preso pegar.

– Quantos anos acha que vou pegar?

– Não sou juiz.

– E tem mais: por que que achas que eu não tive nada com a ocorrência? Imagina, eu, Diogão, pegando na pila do babaca. Nem de luva, mano.

– Conheci bem o teu pai. Era o que podemos chamar de um traficante honesto. E tu, lembro ainda da tua mãe grávida. Te conheço há uns vinte anos.

– Vinte e um. Nem se o cara tivesse de camisinha eu pegava. Que qué isso, mano! Pegar em pau de homem... Te confesso que dei umas porradas na mina. De leve. Sem marca. Quebrou só um dente. Dei a grana pra ela arrumar. Mas tá aqui por que, Fiora?

– Já tinha certeza que isso não era trabalho teu. Agora com essa história de pegar no pau, tenho certeza absoluta.

– E isso adianta? A Federal vai entrar na jogada?

– A Federal, não. Mas eu vou. Tu sempre foste um bom menino, como o teu pai. Apesar de já ter visto muito menino bom matar.

– Deve ser tudo filhinho de papai estressado. Desses que vão em médico de cabeça e acabam dando o rabo. Depois saem dando tiro pra provar que é homem. Conheço os tipinhos. Cheiram uma a mais... Esses pegam em pila. (Muda o tom) Tu me conheces, cara! Achas que eu sou panaca o bastante pra matar o professor, cortar a pila dele e ainda deixar uma carta de baralho no lugar que antes tinha uma caceta?

– É, alguém quis te enrabar! Afinal, o professor estava de caso com a tua namorada... (Se toca) Que história é essa de carta de baralho?

– Um sete de paus! Ex, ex!!! Piranha! Devia tá dando pra ele pra conseguir nota alta. Mecânica dos Fluidos. Sei que fluidos eram esses.

Fiora se levanta:

– Sete de paus... Vou achar o cara que gosta de segurar em pila. Depois comemoramos lá na Mocotó.

– Cachaça de Luiz Alves! Mas olha, vai ser difícil, Fiora! A mídia já me condenou! Me chamam de "Sanguinário da Mocotó"... Os caras pegam pesado...

– Carcereiro!

O guarda entrou, trancou a porta com chave, colocou as algemas no Diogão e depois abriu de novo:

– Por favor, doutor.

E o doutor se retirou.

* * *

– Era uma vez um homem que soltava pum. O nome dele era João Gabriel Miguel Leo Antonio Pedro Francisco Ronaldo Gustavo da Silva, mas todo mundo conhecia ele por João do Pum. João do Pum era um problema. Imagine você: ele soltava pum. Mas soltava sem parar.

Valentim[5] rolava na cama de tanto rir.

– Ele não conseguia segurar. Qualquer coisa: pum! Ti-ti-ti-tarará: pum! Fora isso, João do Pum era um homem normal. Tinha casa, tinha filhos, tinha carro, dor de dente, tinha emprego, dor de cabeça, de barriga, ia a todos lugares a que todo mundo vai. Mas sempre: pum!

– Mais, mais!!!

– Já pensou na loucura? Dormindo, até dormindo ele soltava pum. Quando ele sonhava que estava soltando pum, ele soltava então dois puns: um do sonho e um de verdade. Mas a mulher dele estava acostumada. Antes de dormir ela colocava algodão nos ouvidos: não ouvia nada. Pum pra cá, pum pra lá, João do Pum ia vivendo. Agora vamos dormir que amanhã nós dois acordamos cedo.

– Ah, pai...

– Nem a, nem b.

– Então toca só um pouquinho de violino.

---

[5] **Valentim Mankell Fioravanti**, 5 anos, filho de Fioravanti. Sua mãe, a ex-garota de programa Ingrid Mankell, havia falecido havia um ano e meio. Mora sozinho com o pai. Puxou à mãe: cabelo ruivo e sardento. Numa época, quase se viciou em ver a ponte Hercílio Luz iluminada de noite.

Dois minutos depois Fiora estava tocando *Summertime* ao violino para o filho. Valentim foi adormecendo abraçado com os presentes que ganhou no Natal, ao som dos puns e da música que George Gershwin compôs em 1935 para a ópera *Porgy and Bess* e que hoje serve de fundo para *striptease*. E, de *strip*, Ugo Fioravanti Neto entendia muito.

Valentim dormindo, na sala Fiora serviu-se de uma bela dose de uísque, colocou Ella Fitzgerald pra tocar e foi para a varanda com aquela caixinha marrom.

Os dedos grossos de Fiora enrolaram um baseado com um zelo minucioso, jogaram uma porção bem medida de *cannabis sativa* esverdeada dentro do papel recurvado, espalharam os flocos de modo que se distribuíssem por igual, nas duas extremidades, e ficasse uma ligeira depressão no meio. Os polegares enrolaram a borda interna do papel sobre a borda externa, enquanto os indicadores apertavam do outro lado. Em seguida os polegares e os indicadores deslizaram até as duas pontas do cilindro de papel para mantê-lo esticado, enquanto a língua lambia a aba, depois o indicador e o polegar esquerdos alisavam a junção úmida, o indicador e o polegar direitos torceram uma ponta e ergueram a outra até a boca de Fiora.

* * *

Fioravanti não acordou tão tarde quanto queria. Oito e meia, ao contrário das seis, seis e meia de anos a fio. Era domingo, não tinha que ir à Federal, a não ser que estivesse com alguma investigação em curso. Entrando na chamada terceira idade, se observando agora no espelho do banheiro, enquanto escovava os dentes sem pressa e sorria pra ele mesmo. Uma certa barriguinha, apenas uma certa. Os cabelos não estavam tão brancos assim. Grisalhos era a palavra que ele escolhera. Não era o que os outros pensavam.

Viúvo, com o filho de cinco anos. Criava o filho sozinho. Fora a *baby-sitter*, a Larissa,[6] o nome mais comum das moças da Ilha, que tinha carro e levava e buscava o garoto na escola. Mas Fiora quase a ignorava. Fiora gostava de garotas de programa e Larissa estava longe de ser uma. E tinha também a Dona Célia,[7] que fazia a faxina e a comida e que sempre deixava uma boa reserva congelada na geladeira.

Colocou sua bermuda, abriu a porta, o sol já estava forte e o ar ainda fresco. O filho apareceu na porta da cozinha comendo bolo.

– Valentim, Valentim! Olha que dia lindo!

– Vamos dar um mergulho, pai?

– Primeiro o café. Tomou o copo inteiro de leite?

– Dois. Depois do mergulho vamos na Lagoa?

– Depois é depois.

Fioravanti se abaixou e os dois se beijaram no rosto.

---

[6] **Larissa Stingel**. Universitária. Faz letras na Universidade Federal. No momento, em férias. 22 anos, loira, alta, cabelos loiros encaracolados, corpo perfeito. Ela tem alguns cílios brancos bem no meio da sobrancelha castanha, que lhe dá um charme incrível. Enfim, uma bela mulher. Sabe assoviar colocando o dedo na boca.

[7] **Dona Célia Aguiar Silveira**, 50 anos, há mais de dez com Fioravanti, cozinheira, craque em frutos do mar. Negra, quase azul. Conhece Valentim desde o nascimento. Fioravanti não sabe o que faria sem ela e a Larissa. Inteligente, gostava de fuçar na grande biblioteca de Fiora. Lia muito. Faz parte da campanha para que Fiora se case. "Não com uma puta. De novo." Tarada pelo Beto Carrero. Ficou de luto quando ele morreu.

> “Alguma coisa, sem que ele soubesse absolutamente explicar-se o que nem por que, deixou-o sutilmente inquieto. Nisso consistiam seu privilégio e sua maldição de tira nato: colher no ar, no faro, na pele, na anomalia, o detalhe às vezes imperceptível que não se encaixava no conjunto, a falha mínima em relação à ordem costumeira e previsível.”

SALVO MONTALBANO, DE ANDREA CAMILLERI

CAPÍTULO 2

VOU TE MOSTRAR NA PRÁTICA TUDO QUE TE FALEI SOBRE INTUIÇÃO E LUCIDEZ

Entre as praias de Jurerê e Canasvieiras, existe uma pequena praia, quase particular, delimitada por pedras dos dois lados. Tem gente que chama o lugar de Canajurê. Cento e cinqüenta metros, ele havia medido com passos largos. Seu pai[8] trabalhou ali como empregado da casa grande, durante uns cinqüenta anos até morrer de velhice, há três. Numa antiga edificação quase na areia, que era usada para guardar barcos, Fioravanti fez umas modificações, ajeitou aqui e ali. Tem uns cem metros quadrados. Dois quartos, uma sala envidraçada para a praia, cozinha e banheiro. Fora a varanda, é claro.

Com dez largos passos correram e mergulharam. Era assim que ele lavava o rosto, fosse verão ou inverno. Renascia, como ele dizia. Valentim parecia um golfinho, como tantos que passavam pela praia. Agora, brincando com o filho na água, Fioravanti pensava no dia da aposentadoria, quando poderia viver apenas para o seu garoto.

Nadando de costas pensava em Diogão. E, pensando em Diogão, imaginava que o seu chefe[9] na Federal já devia estar sabendo que ele foi na cadeia. Foda-se!

---

[8] **Ugo Fioravanti Filho**, falecido, pescador, jardineiro, filho de italiano com manezinha, ganhou o galpão dos donos da casa grande, o Kiko e a Isa, para não ter que pegar ônibus todos os dias. De papel passado. Fiora herdou e reformou. O que ele mais gostava era usar lanterna.

[9] **Delegado Delgado Prates**, chefe de Fiora, delegado-geral da Federal de Santa Catarina. Incorruptível, sério. Enfim, cu-de-ferro ao extremo. Mas com um coração imenso. Sonha ser prefeito da Ilha; 48 anos. Ninguém sabe, mas ele come meleca de nariz.

Fiora e Valentim voltaram da praia e entraram na casa sem se preocuparem com os pingos salgados. De biquíni, ia saindo a Larissa.

– Ia ficar com vocês...

– Fique à vontade, Larissa. A água está ótima.

Larissa se dirige para o mar. Os dois ficam olhando. Fiora, vendo aquele corpo jovem, quase pensa bobagem. Quase. Na verdade, deve ter pensando.

– Pai, por que tu não casa com a Larissa?

– O que é isso, menino? Tás doido...

* * *

Pegou a cueca e o par de meias para lavar enquanto tomava uma ducha. E constatou o que ele já imaginava. Na cueca havia mesmo uma marca marrom tipo freada de bicicleta. E isso havia acontecido porque ele fez cocô fora de casa, no boteco das ostras onde havia ido com o Darwin[10] e, evidentemente, não havia bidê como em sua casa. Desviou um pouco o rosto e deixou que o jato de água batesse ali. Sempre que isso acontecia, era assim que ele lavava a cueca. Colocava do avesso e jato nela. Mas agora ele percebeu que não estava do avesso e já iria avessar quando viu que o jato já havia limpado tudo. E chegou a uma conclusão que só um cinqüentão num domingo sem pressa pode atingir. Se tu não virar do avesso a cueca, o serviço da água batendo ali é muito mais eficaz, pois, penetrando nas entranhas do algodão empurra para o ralo a coisa que estava do lado de lá, ao contrário de como vinha fazendo há anos com a cueca invertida. Ficou contente com a descoberta. Mas com as meias, não. O jato ainda era melhor com ela do avesso.

---

[10] **Darwin Matarazzo** (nada a ver com aqueles). 30 anos, baixinho. Tímido, há cinco anos na polícia. Fioravanti o escolheu para ser seu segundo, por ser filho de um amigo também policial que morreu no morro, traiçoeiramente. Mas o menino promete.

Agora sim, meias e cueca lavadas, estava pronto para o banho propriamente dito. Valentim, na banheira ao lado, brincava com uns barquinhos.

– Vamos pra Lagoa, né, pai? Depois esquiar nas duna.

– Dunas, plural. Já te ensinei o plural. É mais de uma duna. Então são dunas.

– Isso. Vamos?

Toca o telefone, Fioravanti sai nu pingando pela casa. Larissa, voltando da praia, ia entrando na casa, vê, dá meia-volta e sai.

No banheiro, Valentim fecha a cara. Sabe que telefonema no domingo era sempre algum pepino.

Já vi que não vamos – pensou.

Fioravanti passa a mão na orelha e atende. Depois do alô, Fioravanti só ouve, sempre concordando.

– Mas agora? Lá no... Está bem, tou indo.

No banheiro, Valentim se enxuga.

– Sabia, sabia...

Fioravanti volta pra se enxugar.

– Sujou, né, pai?

– Sujou feio, valentão.

* * *

Agora era com Darwin que ele conversava no carro.

Vendo Darwin andando pela rua, você diria que ele é qualquer profissional, menos um promissor agente da Polícia Federal. Fiora tinha certeza que ele havia se casado virgem com a mãe de Tomás,[11] a Fabiana.[12] Moravam na Daniela, perto de Jurerê.

---

[11] **Tomás de Castro Matarazzo**, da mesma idade do Valentim, apesar de bem mais baixo. Amigos inseparáveis.

[12] **Fabiana de Castro Matarazzo**. Mulher de Darwin, 25 anos, gorda. Nunca recuperou o peso da gravidez do filho Tomás. Dentista. Um rosto lindo, moreno, provavelmente descendente dos açorianos que iniciaram a conquista da Ilha no século XXIII. Lê muito:

– Como é que é mesmo? Matou o professor, cortou o pau do cara, enfiou na boca, do morto, é claro, e deixou um sete de paus na virilha? Caceta...

– Claro que não deixaram vazar para a imprensa. Professor da Federal... Além de maçom. E não foi o Diogão. Conheço o menino...

– E o chefão tá puto?

– Suponho. E com razão.

– Os jornais... Eles tinham que achar um suspeito. Daí o Diogão.

Fiora balança a cabeça:

– Sempre os jornais! E, o pior, o medo dos jornais, da opinião pública. Assim que um crime é cometido, a polícia é pressionada no ato. Porra, tem que encontrar rapidinho um culpado, custe o que custar. Nem que seja inocente...

Fiora estacionou o seu carro em frente à Polícia Federal. Cinqüenta metros dali fica uma das melhores churrascarias da Ilha, a Ataliba. Fiora olhou no seu relógio.

– Temos meia hora.

– Já sei, uma caipirinha de cachaça com pouco açúcar no Ataliba.

– E uma Coca Zero pra ti.

– Isso.

Iam caminhando. Fiora colocou o braço no ombro do Darwin. Passaram três apetitosas estudantes[13] com apostilas debaixo do braço. Para surpresa do Darwin, Fiora não conferiu a bunda depois que elas passaram.

– Não viste aquilo, Fiora? Te estranhando...

Agora sim, Fiora conferiu. Rapidamente.

– Alguém tem que manter a lucidez... Não tenho medo da loucura, Darwin, e sim da lucidez. Uma caipirinha não me deixa louco. Me deixa lúcido.

Caras, Contigo, Quem e *Tititi*. Semanalmente. Fala do José Wilker como se fosse um primo. Sabe o nome dos filhos da Globo inteira. Tem tesão pelo Antonio Fagundes.

[13] **Michela Sarti**, 18 anos, **Ana Paula Coimbra**, 17 anos e **Jeanine Fiuza**, 19. Estavam felizes. Iam passar as férias no Caribe. São riquinhas.

Fioravanti é assíduo na churrascaria. Ali só servem bebida para quem senta nas mesas para comer. Mas ele era conhecido no lugar. Ele e vários funcionários da Federal. Podia ficar em pé lá no balcão do fundo, tomar a sua caipirinha e beliscar um queijinho e uma pata negra, sem a obrigação de consumir carne.

Tomando um gole da sua Coca e não querendo falar sobre a conversa que iriam ter com o chefão, Darwin procura outro assunto.

– Fiora, nunca te perguntei isso, mas, depois da aposentadoria, além de cuidar do Valentim, tem algum plano?

– Tu pode achar bobagem, mas penso em abrir um escritório de detetive. Não desses que tentam flagrar mulher de corno, mas alguma coisa que me faça usar a intuição. Há quarenta anos trabalho com ela.

– E é um dos melhores. Tenho sorte de trabalhar contigo.

– Deixa isso pra lá, garoto. Bom era o seu pai... O velho Matarazzo. Seu pai me ensinou uma coisa: sabe esses caras que ficam malhando o dia inteiro e quase têm orgasmos com o próprio corpo? Dão a vida pelos exercícios de musculação? Então, do mesmo jeito, o policial fica de pau duro investigando um crime, entendeu? Esta frase é do seu falecido pai. Eu encontro um puta prazer é mesmo nas coisas onde posso exercer meus talentos, modéstia à parte. Eu amo os enigmas, as faltas de nexo, os hieróglifos, se está me entendendo.

– Hieróglifo são aquelas escritas que o Champollion decifrou, né?

Fiora dá um gole gostoso, mastiga um queijinho. Quando bebe, fala difícil:

– Nosso trabalho exige, na solução de cada caso, um grau de perspicácia – gostou do perspicácia? – que parece sobrenatural para as pessoas normais. Tou cagando muita regra, né?

– Falando difícil, mestre. Tu tá parecendo um professor.

– Gosto de te ensinar tudo que aprendi, garoto. Vamos nessa?

Márcio[14], fecha aqui. Ó, ó, mas antes coloca mais um pouquinho aqui de cachaça porque tava um pouco doce. Dois dedinhos. Tu anda errando no açúcar, Márcio...

– É... Há vários anos, Fiora.

Fiora ficou olhando o garçom molhar o copo dele. Deu um belo gole.

– E agora, Darwin, vou te mostrar na prática tudo que te falei sobre intuição e lucidez. Por exemplo: nosso chefe e amigo Delgado não iria me chamar até aqui na avenida Beira-Mar, num domingo, só pra me aporrinhar porque eu fui na cadeia. Ele tem mais alguma coisa pra me dizer. Entendeu? Lucidez e intuição.

---

14 **Márcio**, um dos mais simpáticos garçons do lugar. Faz caipirinha para o Fiora há mais de vinte anos. Bom garçom: não é surdo e fala pouco. Casado com a **dona Maria Beatriz**. 62 anos.

“Não existem assassinos. Apenas pessoas comuns que cometem assassinatos.”

INSPETOR KURT WALLANDER, DE HENNING MANKELL

CAPÍTULO 3

PÊNIS ME LEMBRA MÉDICO, ME LEMBRA TOQUE NA PRÓSTATA

A frente do edifício da Polícia Federal contrasta com a beleza da avenida Beira-Mar. É uma caixa cinzenta que lembra Hitler em seus piores dias de crise de hemorróidas. Mas, lá dentro, parece ter sido feito por outro arquiteto. Além de um eficiente ar-condicionado, as paredes são brancas e uma escada curva que sobe para o segundo andar lembra muito aquelas onde as debutantes posavam para a posteridade, nos anos 60. O prédio estava vazio naquele domingo sem nenhuma nuvem.

Subiram pelo elevador. Não havia nem secretária na antesala. A porta estava aberta.

– Eu entro? – perguntou Darwin.

– Darwin, eu gosto que tu esteja presente quando eu vou ser elogiado e quando eu vou ser esculhambado. Tu vais crescer aqui dentro, entre uma situação e outra.

– Mas eu não fui convocado.

– Isso é problema meu. Nós somos uma dupla!

O delegado-geral era mais jovem do que Fioravanti. Fez um sinal com as mãos para que os dois se sentassem. Estava ao telefone.

– Se eles são irmãos, acho que podemos entrar na investigação, senhor ministro. Sim, ele já está aqui na minha frente.

Ministro? O negócio tá sério! – pensou Fioravanti dando uma olhadela para Darwin. *Ele já está aqui na minha frente?* Fudeu geral.

O delegado desliga o telefone:

– Temos dois assuntos, caríssimo! Dois!

Quando ele falou em dois assuntos, Fiora sorriu apenas o suficiente para Darwin perceber.

Fora do prédio eram amigos que se tratavam por Delgado e Fiora.

– Pois não, delegado Delgado. Dois assuntos.

– Sei que o seu domingo pertence ao Valentim, mas os assuntos são graves. Gravíssimos! Não fosse a sua ficha aqui dentro, eu seria obrigado a abrir um inquérito interno pela sua ida sem permissão na cadeia pra falar com um preso com quem não temos nada a ver.

– Sim, senhor.

– Sei que foi pelo fato do garoto ser filho de um amigo seu, o Diogo Cão.

– O pai dele sempre colaborou conosco, delegado.

– Mas era um traficante. – Caminha pela sala, como a procurar palavras. – Recebi um telefonema hoje de manhã, na minha casa, do secretário de Segurança do Estado. Me comprometi com ele de te deixar afastado do caso.

– Mas eu não estava lá como policial...

– Ainda não terminei!

– Pois não... Posso fumar?

– Desde que abra a janela aí do teu lado. Sabes que saiu um novo remédio agora, né?

– É mais informação do que eu preciso, delegado. Não vamos discutir mais uma vez o tabagismo.

O delegado se levantou e abriu a janela do outro lado, que dava para a avenida, observando o trânsito.

– É argentino demais para o meu gosto.

Chega perto de Fioravanti.

– E, depois do secretário da Segurança daqui ter me ligado e dito, até cortesmente, que o crime não era da nossa alçada, etc., etc., etc., me ligou de Brasília, em pleno domingo, hoje cedo, duas vezes, o ministro da Justiça.

Com essa informação, Fioravanti começou a pensar que seria demitido "a bem do serviço público".

– Me repita, resumidamente, o crime que culminou na morte do professor da Universidade Federal.

– Hans Schneider, assassinado com um tiro na testa, quase à queima-roupa, teve depois o pênis cortado/

O delegado o interrompe.

– Pode falar pau mesmo. Pênis me lembra médico, me lembra toque na próstata.

– Isso, cortou o pau do professor, enfiou na boca dele, dele o professor, e deixou uma carta de baralho na virilha. Um sete de paus.

Delgado anda pela sala. Fioravanti sua. Não tanto quanto Darwin.

– Exatamente. Nesta madrugada, bem longe daqui, lá em São Luís do Maranhão, um dos mais destacados deputados federais, filho de um ex-senador, foi assassinado em sua casa. Tiro na testa, cortaram o pau dele, enfiaram na boca e deixaram o sete de paus. Falam em crime político.

O delegado Delgado senta-se na sua cadeira, força as costas para trás e fica quase deitado, olhando as caras incrédulas dos seus dois agentes. Ninguém ousava pronunciar nenhuma palavra. O delegado derreteu o gelo.

– Coincidência?

Fioravanti sempre gostava de se mostrar um leitor compulsivo:

– Shakespeare já dizia, há mais de quatro séculos, que, se não fossem as coincidências, não existiria ação dramática. Mas eu estou mesmo preocupado é com as ligações do ministro da Justiça. Tenho alguma coisa a ver com isso?

– Como o crime de São Luís envolveu um deputado federal, o presidente da Câmara dos Deputados oficiou ao ministro da Justiça pedindo a abertura do competente inquérito, agora de manhã, e a Polícia Federal se encarregará das investigações. E como o caso daqui, por coincidência ou não, se parece com o de lá, vocês dois estão encarregados da investigação, oficialmente. Vocês partem hoje de noite para São Luís. Agora a situação é da alçada federal.

Fioravanti sentiu o maior alívio de toda a sua carreira de quase quarenta anos.

– Hoje?

– Mais uma informação. O nosso professor Hans Schneider era irmão de pai e mãe do deputado federal pelo Maranhão, Maneco Schneider.

– Puta que o pariu...

– Contenha-se, Darwin...

O delegado Delgado entrega uma pasta para Fioravanti.

– O relatório completo do assassinato e mutilação do professor, que o delegado me passou. Mas lembre-se, não estamos ainda neste caso, o do professor. A não ser que haja uma relação indiscutível entre os dois crimes. Taí também a autópsia, fotos, etc.

– Impossível não haver uma relação. O pau, a carta de baralho, dois irmãos...

* * *

Quase chegando à praia da Joaquina, ficam as dunas. Ali se alugam pranchas para a criançada esquiar. Fiora, uma vez, quando o Valentim tinha uns três anos, escorregou com ele. Como diria depois, entrou areia pelos nove buracos do seu corpo. Não buracos de balas, mas os que a natureza dá aos homens. Valentim e Tomás ficavam deslizando e depois subiam novamente até lá em cima e recomeçavam tudo de novo. E depois sairia areia pelos nove buracos durante duas semanas, no mínimo.

Bem na frente tem um boteco. Fioravanti, Darwin e Fabiana bebiam ali. Cerveja, como convinha com aquele sol da uma da tarde.

– Darwin, tu já leste Darwin?

– Tu não vais acreditar, mas eu não me chamo Darwin por causa desse Darwin que tu tá falando. O meu Darwin veio de um ponta-esquerda que jogou pelo Figueirense nos anos sessenta e o meu pai adorava ele.

– Me lembro dele. Baixinho, ligeiro. Pois o outro Darwin afirmava que o poder de produzir e apreciar a música existia entre a raça humana muito antes da fala. Talvez por isso que somos tão influenciados pela música. Há vagas lembranças em nossas almas, dizia o seu xará, daqueles velhos tempos, quando o mundo ainda estava na infância e não se precisava de detetive para saber quem matou Abel.

Darwin não entendeu aquela digressão.

– E daí?

– E daí que devia ser preso o dono deste boteco por causa dessa música. Além da bateção de estaca, olha a altura. Pelo amor de Deus!!!

– Deve ser para animar a criançada – disse Fabiana.

– Mais uma rodada? – perguntou Darwin.

– Vão chegar bêbados em São Luís...

Darwin foi pedir.

– Sabem quando voltam?

– Menor idéia... Não sei como criaria o Valentim se não fossem vocês, Fabiana.

– Não começa de novo, Fiora. Sabe que me resolve um problema. Com ele lá em casa, o Tomás sai do computador. Cresceram juntos. São irmãos.

Volta Darwin:

– Tu também tem certeza que o assassino dos dois irmãos é o mesmo? Nenhuma dúvida?

– Darwin, se tivesse saído no jornal o negócio do pau, desculpa Fabiana, do sete de paus...

– Que pau? – inocentemente perguntou a Fabiana.

– Meu amor, cortaram o pau do professor.

– Cruz credo! – pensou um pouco. – Por quê?

– E existe alguma razão para alguém cortar o pau de um sujeito, meu amor?

– Sei lá, vocês que mexem com essas coisas...

– Ê, êêê – protestaram os dois policiais, exagerando, talvez, no tom exageradamente grave da voz.

– Como eu dizia, se o negócio do pau e do sete de paus tivesse saído nos jornais, a polícia podia até pensar em alguém imitando ou coisa que o valha.

– Cortaram o pau? – insistia Fabiana.

Os dois nem ouviram a curiosidade dela.

– O que prova a minha teoria de que não foi o Diogão que está preso. Por enquanto.

Mas a Fabiana estava intrigada com a história do pau.

– Mas em pleno Natal? Matar e cortar um pinto? Onde o mundo vai parar?

Darwin:

– Odeio Natal...

– Qual o problema com o Natal, Darwin? – perguntou a sua esposa. – Qual o problema de gostar das coisas antigas, das festas tradicionais? Que mal tem nisso? E ainda cortam o pinto do professor? Me explica isso, amor. E qual é o problema com o Natal? Não foi bom lá na mamãe?

Fioravanti interfere no que poderia virar uma discussão familiar.

– Não há mal nenhum, Fabiana. É tudo muito encantador! Tu disseste que o Natal é uma época de comemorações. Isto significa muita comida e bebida, não é mesmo? Isso quer dizer, na verdade, comida pra caceta! Bebida pra caceta! E comendo e bebendo além da conta, lá vem a indigestão! E com a indigestão vem a irritabilidade! Existe, no Natal, um espírito de boa vontade. É, como vocês cristãos dizem, "o que se deve fazer". Velhas brigas são esquecidas, ficam todos numa boa, mesmo que seja por pouco tempo.

– Fazer as pazes, isso mesmo.

– As famílias, agora. Famílias que estiveram afastadas durante o ano todo, se reúnem mais uma vez. Bem, nessas condições, minha amiga, tu tens tem que admitir que pinta muita tensão. Pessoas que não se sentem bem umas com as outras fazem um puta esforço para aparentar que tá tudo bem! Existe, no Natal, muita hipocrisia, hipocrisia louvável, hipocrisia gerada por um bom motivo, mas, mesmo assim, hipocrisia!

– Bem, eu não colocaria exatamente assim.

– Não, não. Sou eu que estou colocando assim, não tu. Estou chamando a tua atenção para o fato de que, sob estas condições, tensão mental, mal-estar físico, é bastante provável que as pequenas diferenças possam de repente assumir um caráter mais sério. O resultado de uma pessoa se fingir mais amável, com maior capacidade de perdoar, provoca, mais cedo ou mais tarde, um comportamento esquisito, meio desagradável. Pode pintar até mesmo um assassinato. Me desculpe pelos natalinos palavrões.

Darwin parecia ter entendido a aula.

– Tu acha que foi alguém da família que matou os dois irmãos?

– Se houver alguma herança na jogada... Em São Luís, vamos saber disso. Agora vamos pegar os guris, dar um bom banho neles e comer umas ostras no Restinga. O que acham?

* * *

No vôo noturno para São Luís, tomando seu segundo uísque, Fiora ia lendo o relatório policial sobre a morte do professor Hans e passando o já lido para o Darwin, que tomava seu suco de manga *light*.

– Realmente o serviço foi feito por, no mínimo, duas pessoas. Olha o tamanho do professor. Como é que uma pessoa sozinha ia arrastar ele de detrás do prédio da reitoria até o estacionamento, colocar o gordo dentro do carro dele e cortar o pau?

– Deve ter sido uma luta pra localizar o pau do gordo. Olha essa foto...

Uma senhora,[15] com cara de curiosa, sentada no banco do corredor, esticou os olhos, viu a foto e deu um grito que ecoou pelos céus de Goiás. Vomitou e desmaiou.

Três bancos pra frente, um rapaz e uma garota[16] se beijavam longamente. O rapaz passa a mão no seio esquerdo dela por cima da blusa. Nem ouviram o grito e o regurgito da senhora, aquela.

– Feliz essa sua geração, Darwin. No meu tempo, nunca passei a mão num peito. Nunca! Pra pegar na mão era mais ou menos uma semana depois de começar o namoro. E, pra começar o namoro, a gente pedia para a melhor amiga da pretendida fazer o pedido. Ela pedia três dias e eu ficava naquela agonia. Quando a outra topava eu esperava na saída da escola, ao meio-dia, e acompanhava até a esquina da casa dela... Era uma luta, meu caro Darwin.

A mulher voltou a vomitar. O casal parou de se beijar e observava.

---

[15] **Dona Dirce Assumpção**, 54 anos, viúva, em viagem para São Luís para conhecer o primeiro neto.

[16] **Tico e Alessandra**, voltando para o Nordeste depois da lua-de-mel em Floripa. 31 e 25 anos.

> “Quando tudo é impossível, o que restar, por mais improvável que seja, é o que tem de ser. É a verdade.”
>
> SHERLOCK HOLMES, DE CONAN DOYLE

CAPÍTULO 4

E AQUELA GORDINHA DEBRUÇADA NO CAIXÃO? FILHA?

Na porta de desembarque do Aeroporto marechal Cunha Machado, às seis e meia da manhã, um homem[17] de terno e gravata segurava uma placa: Sr. Ugo Fioravante.

– É com "i".

– Como, senhor?

– É Fioravanti. Com "i".

– Desculpa, senhor. Muito prazer. Meu nome é Joaquim.

– Muito prazer, Joaquim. Este é o Darwin.

– Prazer.

– Prazer. Fizeram boa viagem?

E ainda viram a passageira do corredor desembarcar numa cadeira de rodas. Vomitando até pelas orelhas.

Darwin queria saber quem havia sido o marechal Cunha Machado, nome dado ao aeroporto. Joaquim ficou meio sem jeito:

– Aí você me pegou. Deve ter sido algum aviador que foi para a Segunda Guerra. Aqui ninguém chama o aeroporto por esse nome. Todo mundo chama de Tirirical, que é o nome do lugar onde os americanos construíram o aeroporto no começo da guerra.

Joaquim cuspiu o chiclete pela janela, pegou outro chiclete, desembrulhou, jogou na boca. E o papel, pela janela.

---

[17] **Joaquim Açores**. Polícia Federal local, pouco mais de 30 anos, magro em excesso, moreno, servil. Levemente vesgo, mascando chicletes (para irritação de Fiora). Gosta de transar com travesti.

– E o que significa Tirirical?

Joaquim ri:

– Uma porção de tiriricas. Uma planta...

A sede da Polícia Federal fica no Anil, perto do aeroporto, num pedaço de prédio que ainda pertence ao Incra. Menos de dez minutos, estavam os três lá. Foram diretamente para a sala do investigador Massami.[18]

Enquanto Massami batia os olhos no relatório do crime de Santa Catarina, cada vez mais incrédulo, Fioravanti explicava:

– Veja, Massami, a não ser que o assassino seja o mesmo, nós estamos fora. Vocês cuidam do caso aqui. Já há um suspeito preso lá, conforme tu podes ver aí.

Massami coloca a pasta em cima da mesa, alinhando-a com outras papeladas, numa simetria quase irritante. Cisma de japonês, pensou Darwin.

– Fioravanti, só pode ter sido a mesma pessoa. Os detalhes todos... A mesma arma, inclusive: uma pistola Taurus 7.65.

– E mais, dois irmãos mortos. Tem algum suspeito aqui? Herança, algo assim?

– O deputado vinha recebendo ameaças, chegou a nos procurar. Mas o que mais acontece aqui no Maranhão são ameaças a políticos.

– O corpo já foi liberado?

– Sim, está no palácio do governo sendo velado. Dentro de poucas horas vamos ter os dados da autópsia. Mas nem preciso ler. Foi exatamente assim – disse Massami, apontando para o relatório de Santa Catarina.

– Podemos dar uma chegadinha no velório?

– É o que eu ia propor.

---

[18] **Jorge Massami**, policial encarregado do caso do deputado federal, cara de churrasqueiro e contador de piadas manjadas. Provavelmente o único descendente de japonês de todo o estado do Maranhão, pensou Fiora ao ser apresentado. Manco. Come a enteada Zezinha, 18 anos. Ele tem 50.

* * *

O velório estava cheio de celebridades no Palácio dos Leões, sede do governo local, bem ao lado da prefeitura. Em cima do caixão, uma bandeira do Maranhão e outra do Sampaio Correa, time de futebol mais popular do estado, do qual o deputado havia sido presidente em priscas eras.

Massami ia apontando com o queixo:

– Pra você ver a popularidade do deputado, aquele é o prefeito Tadeu Palácio[19] junto com o governador Jackson Lago.[20]

– Aquele ali não é o Zeca Baleiro?[21]

– Exato.

– E aquela gordinha ao lado do caixão? Filha?[22]

– Única filha e herdeira.

– O homem era rico?

– O pai[23] dele era senador na época da construção de Brasília. Dizem que vendeu todo o cimento para a construção da cidade. Já morreu, mas a mulher dele, mãe do falecido, é milionária. É aquela ali no canto. Dona Leocádia,[24] pra mais de noventa anos.

Dona Leocádia era amparada por outras senhoras de preto que sempre surgem nesses momentos, ninguém sabe da onde. Ela não chorava. Seus olhos não miravam nada. Estava longe. Dois filhos assassinados em menos de dez dias.

---

[19] O próprio. Vide Google.

[20] O próprio. Vide Google.

[21] Isso, vide Google.

[22] **Júlia Schneider**, 19 anos, um olhar perdido. Mas não porque o pai havia morrido. Aquele olhar deve ter nascido com ela. Cara de burra e analfabeta, foi tudo que Fiora pensou. Apaixonada (de verdade) pelo Paulo Coelho.

[23] Nem precisa ver no Google. Um dos políticos mais corruptos do estado do Maranhão. Melhor nem citar o nome para evitar processos.

[24] **Leocádia Veneranda Schneider**. Parecia ter mais de 129 anos. Mesmo de luto fechadíssimo, muito elegante, para o gosto dela, evidentemente. E para o momento. Magra, Fiora achou que era tão curvada daquele jeito devido ao excesso de jóias nas orelhas, pescoço e braços. Não, não tinha *piercing*. Nunca teve orgasmo.

– E aquele garotão[25] com a filha?

– Noivo. Não tem ficha na polícia.

– Interessante – disse baixinho Fioravanti. – O genro?

– Futuro genro. Casamento marcado.

– Acho que está na hora de tomar a primeira caipirinha. Resumindo: com a morte dos dois filhos, a gordinha é a herdeira da grana toda quando morrer a avó?

Massami dá um sorrisinho balançando a cabeça afirmativamente.

– Única herdeira de toda a fortuna, já que o irmão lá do Sul não tinha filho.

– Era estéril. Vamos beber. Esse cheiro de flores é muito enjoativo.

* * *

No Restaurante Lenoca, Massami fez questão de pedir o Caranguejo Toc-Toc de entrada junto com as caipirinhas e ainda uma salada de caranguejo.

– A melhor do mundo!

Enquanto beliscavam o caranguejo ao som das marteladas, acertavam com quem ficaria a investigação central. Já que o assunto – era impossível não ser o mesmo assassino – agora era da alçada deles, da Polícia Federal. Por enquanto dividiram as investigações. Um em Floripa e o outro no Maranhão. Mas algo intrigava Fioravanti.

– Pensando no sete de paus.

– Acho que todos. Tem alguma idéia?

– Um exibicionista, é evidente. Como até um louco não faz nada sem razão, o cara sente essa necessidade de desafiar a gente.

---

[25] **Alexandre Freire Neto**, uns 30 anos. Cara de genro em enterro de sogro. Ainda tinha espinhas no rosto. Bicha enrustida?

Necessidade de afirmação, nem que seja com um crime. Quer provar para ele mesmo a sua potência, ou importância, ou coragem.

– Lá vem aula – brincou Darwin.

– Será mesmo um problema familiar ou é um *serial killer* avisando – e rindo de nós – que vai matar sete pessoas e cortar sete paus? O genro, por exemplo, se fosse ele o assassino, por que o sete de paus? Se estivesse interessado no dinheiro da família da noiva precisava cortar o pau do sogro?

Darwin intervém:

– Porra, esse papo de cortar pau comendo caranguejo é foda...

Fiora vai ao banheiro, volta:

– Não sou mais o mesmo... Antes, com um jato só de mijada, eu estraçalhava três cigarros no mictório. Agora, apenas pra separar o filtro do resto, é uma luta. Deve ser a próstata.

Massami não sabia se ria ou se era para lamentar. Limitou-se a dizer:

– A conta, por favor. (Para os dois) Vamos ver o laudo médico. Deve estar fresquinho em cima da minha mesa.

– Massami, pra mim todos os genros são suspeitos. E enquanto mijava, pensava, tentando acertar a porra do cigarro: temos um *serial killer* pela frente. E ele está avisando: vou matar sete caras e vou cortar sete paus – pausa, como ninguém comentou nada, continuou. – Corto o meu pau, se não for isso! Vamos ver o laudo, Massami.

> “A arte não havia surgido justamente para preservar a sanidade do artista? Todos eles não faziam arte do mesmo jeito que a ostra faz pérolas? Um grão de areia entra na concha da ostra, se enfia debaixo de sua pele, e ali irrita, machuca. Então a ostra secreta alguma coisa, espreme alguma essência do seu próprio ser e cobre com isso o grão invasor, só para deter a dor. Prepara camada após camada dessa substância mística, até o grão de areia e a dor que provocava antes não serem mais que uma lembrança.”
>
> MATT SCUDDER, DE LAWRENCE BLOCK

CAPÍTULO 5

O MELHOR JEITO DA GENTE NÃO TER MEDO DA MORTE É LEVAR UMA VIDINHA DE BABACA

De volta à sede da Polícia Federal em São Luís, Fiora, Darwin, Massami e Joaquim examinam as fotos e o resultado final da autópsia. Não havia nenhuma dúvida na cabeça de nenhum deles. Foi a mesma – ou mesmas – pessoa. Portanto, tanto Diogão em Floripa, como o genro em São Luís, estavam descartados. Ou não? Fiora não tirava o jeitão de genro do genro da cabeça. Tinha uma cara tão de babaca, mas tão babaca que poderia...

Fiora acende um cigarro. Joaquim abre as janelas e desliga o ar-condicionado. Fiora nem aí.

– Onde fica a zona?

Massami não entende.

– Zona? Puta?

– É. Gosto. Fazer o quê?

Massami continua sem jeito diante de Fioravanti. Todo japonês é meio acanhado, já notou?

– Não querem primeiro conhecer o hotel?

– Agradeço, Massami, mas prefiro dormir na zona. Sei que o Darwin vai para o hotel, não é, Darwin? Mas vamos ao hotel. Esse negócio de zona é pra mais tarde.

Massami, meio sem jeito:

– Não tem zona.

– Como não tem zona? Sempre ouvi falar das maranhenses. Da maconha e das mulheres do Maranhão.

Joaquim entra na conversa.

– Que tem, tem. Mas é uma decadência só. Não conheço muito... Há muito tempo fui num lugar – a trabalho – chamado Rosana. Posso acompanhar o senhor.

Massami não sabe se acompanha os dois ou não.

– Sugiro que primeiro acomodemos vocês lá no Praia Mar. Vai gostar, Darwin. De frente para o mar. Ainda dá tempo para um mergulho. Deve estar uns quarenta graus.

No bar do hotel, uma varanda virada para o mar de águas mornas, Massami ainda insiste em trabalhar. Olha para Fioravanti, que está mirando a praia com o olhar distante e um gole de caipirinha na boca, demorando para engolir.

– O que está pensando, Fioravanti? Na zona ou no nosso *serial killer*?

– Mesmo depois de quarenta anos na polícia, fico sempre impressionado diante de um cara que mata.

– Por quê?

– O sujeito que mata outra pessoa, se separa, de certa maneira, do mundo em torno dele. De um minuto para outro deixa de ser igual aos seus... semelhantes, digamos assim – *duas caipirinhas e baixou o professor*, pensou Darwin. – Odeio esse sujeito. E digo mais: deve haver alguma relação entre os nossos dois homens assassinados além do laço de sangue, digamos assim.

– Como assim? – pergunta Darwin.

– Não tenho a menor idéia. Mas que tem, tem. Acho que vou dar um mergulho antes das putas. Talvez, Massami, a pessoa que vamos procurar, o assassino, não seja nem de Floripa, nem de São Luís.

– Talvez.

– Sabe que genro não é parente, né?

* * *

No avião de volta para Floripa não estava nem a dona Dirce, vomitadeira, nem o casalzinho do amasso.

– Uma merda as putas de São Luís.

Isso foi tudo que Fioravanti comentou sobre as 24 horas que passaram lá.

– Mas a comida era maravilhosa, a cidade linda – defendeu Darwin.

– Te juro, Darwin, que desde que coloquei os pés na cidade não observei nada. Só pensava nos crimes. Vi uns azulejos bonitos. Mas não encarei, entende? Não estava a passeio.

Darwin fez a pergunta que há anos pensava fazer.

– Por que tu se tornou um policial, Fiora?

– Tu me pergunta por que eu sou tira? Talvez porque nessa profissão nós temos coisas para procurar e alguma chance de encontrar elas. Consola a gente do resto. Gosto de procurar coisas. E encontrar. Porque, no resto da vida, ninguém pede pra gente procurar porra nenhuma, e não tem perigo de achar, porque nem sabemos o que estamos procurando. Alguém me disse uma vez que o melhor jeito da gente não ter medo da morte é levar uma vidinha de babaca. Assim não podemos sentir falta de nada. Entendeu? Virei tira pra não virar babaca. E tu, garoto?

– Justiça.

– É um romântico...

Darwin tenta ler o jornal.

– Tem alguma idéia do que está acontecendo, Darwin?

– Onde?

– No caso dos crimes.

– Picas. E tu?

– Picas!!! – olha pelo corredor – Cadê a mocinha das bebidas?

* * *

– Logo que acordava e ia escovar os dentes, era aquele festival de puns. Do lado de fora, os filhos ficavam esperando o pai terminar. Falta muito, pai? Só mais dois, dizia o pai.

Valentim gargalhava gostoso.

– E, depois, saía aliviado. Sentava-se na mesa para tomar o café-da-manhã: pum! Lia o jornal: parecia que a guerra tinha começado: pum, pum, pum! Claro que João do Pum era conhecido em toda a cidade. Quando ia para o trabalho, parava no sinal e o guarda perguntava: como vai, seu João do Pum? Pum, pum, pum, respondia ele e o sinal ficava verde. No trabalho, seus colegas já sabiam do problema. Ele chegava (pum!), batia o (pum!) ponto, tirava o (pum!) paletó, sentava-se (pum!) na sua mesa e fazia o seu (pum!) trabalho muito bem. Amanhã eu continuo.

– Não, conta mais porque ontem tu tava viajando e não contou.

– Cama, menino. Pijama e cama, como dizia meu velho pai, que Deus o tenha.

– Então toca um pouco de violino.

Tocou a ária de *O guarani*, do Carlos Gomes, o compositor que alisava o cabelo com ferro de passar roupas.

* * *

Na casa do Darwin, Fabiana também havia acabado de colocar o Tomás para dormir. Volta para a sala onde Darwin via a novela das oito, que começava às nove...

– Sabe o que o Valentim me disse hoje de tarde quando a gente ia para o aeroporto?

– Diga.

– Que ele gostava de ficar aqui em casa porque aqui tinha mãe...

Fabiana fica com os olhos cheios de lágrimas. Senta-se ao lado de Darwin e o abraça. Darwin fica em silêncio alisando o cabelo dela. Ela sugere:

– E se nós arrumássemos uma esposa para ele?

– Tá doida? Ele só gosta de puta...

– Lembra da Carminha? Separada, uma filha da idade dos meninos...

– Menas, Fabiana, menas!

– Fico tão aflita com isso... Tu não pode nem imaginar.

* * *

Já haviam se passado três dias desde a viagem para São Luís. As investigações lá e cá não levavam a nada. Nenhuma impressão digital, nenhuma testemunha. Ninguém viu nada. E, se viu, não estava a fim de contar. Mas Fioravanti sabia que o sujeito deveria estar programando o terceiro crime. Quando, onde? E, principalmente, por quê?

Estamos no dia 29 de dezembro. A prainha de Fiora cheia de argentinos e paraguaios. Saiu com o filho da areia. Dona Célia estava acenando da varanda. Comida na mesa.

Comendo um côngrio feito na brasa com molho de alcaparra e purê, pai e filho faziam planos para o *réveillon*. Valentim queria ir para a praia do Rosa, ao sul de Santa Catarina. O pai sugeria ver a queima de fogos na avenida Beira-Mar na privilegiada janela da sua sala na Federal.

– Passar o *réveillon* dentro da polícia, pai? Num quero.

– Então ficamos na rua.

– Praia do Rosa!

A discussão parou quando o telefone tocou e Fiora viu no bina que era o delegado Delgado. Outro crime?

– Outro crime, Fiora.

– Quando? Onde?

– Dá pra dar uma chegadinha aqui?

– Estou indo.

Fiora voltou para a mesa com a testa franzida. Começou a engolir o côngrio.

– O cara de novo, doutor?

Fiora já havia dito mais de mil vezes para a dona Célia que ele não era doutor em nada. Mas ela sempre respondia: *doutor em crimes, doutor!*

– É...

– Já vi que vou passar o *réveillon* com o Tomás – resmungou o Valentim.

Fiora passa a mão na cabeça do filho.

– Filhão, falta pouco para eu me aposentar. Aí eu vou ser só seu! Só seu! Já pensou?

– Já. Vai ficar o dia inteiro me tirando do computador.

– Vamos conhecer o mundo, meu filho. Vamos esquiar, vamos para a Disney! Tu vai viajar de avião!!!

– Oba!

* * *

Muito longe da ilha de Santa Catarina, a quatrocentos quilômetros da costa africana, perto do Senegal, dez ilhas vulcânicas formam o arquipélago de Cabo Verde, ex-possessão portuguesa. Uma das ilhas chama-se São Vicente. E, nessa ilha, fica a cidade de Mindelo. Não é a capital – a capital chama-se Praia –, mas o centro cultural do país. Sessenta e cinco mil habitantes.

* * *

Antes mesmo dos cumprimentos formais, Fioravanti perguntou a Delgado.

– Onde foi?

– Mindelo.

– Onde fica isso? Nordeste?

– África! África, meu caro.

Agora sim, se cumprimentam. Antes, Fiora abriu a janela que dava para a Beira-Mar e Delgado desligou o ar-condicionado. Acendeu o Camel.

– África?

– África. Cabo Verde. Tiro na testa, pau cortado, sete dc paus.

– Mas como é que a polícia brasileira ficou sabendo disto?

– Pelo sete de paus. Marca *Mundial*. O baralho. E nem em Cabo Verde, nem em Portugal, vendem essa marca de baralho. Desta vez o nosso amigo cometeu um pequeno deslize.

– África... – balbuciou Darwin.

Delgado se esticou todo na sua supercadeira que virava quase cama e soltou a bomba:

– Deve ter um bom *réveillon* por lá. Danças típicas, belas crioulas...

– Tu não estás querendo dizer/

Delgado corta.

– As passagens já estão com a Maria Alice.[26] Via Lisboa. Conhecem Lisboa? Amanhã na hora do almoço estão em Mindelo e ainda pegam o velório. Bom *réveillon*!!! Em Mindelo procurem um advogado chamado Germano Almeida. Conheci há alguns anos num congresso em Lisboa. É escritor também.

Darwin anota o nome.

– Talvez ele possa ajudar vocês.

Fiora não tinha nada para dizer. Além do mais, nunca tinha ido a um país africano.

– Alguma notícia de São Luís?

– O genro tem álibi.

– Por princípio, desconfio de pessoas com álibi.

– Agora uma boa notícia. Seu amigo Diogão foi libertado. Ligou aqui atrás de ti. Falou com a Maria Alice. Fala com ela.

---

[26] **Maria Alice Stultmann**, linda alemãzinha, secretária do delegado-geral. E – dizem – algo mais do que isto. 30 anos. Toma entre 10 e 15 latinha de cocazero todos os dias.

– Mas onde fica exatamente Cabo Verde?

Foi Darwin que se meteu na história.

– A única informação que eu tenho é que aquela cantora, a Cesária Évora, é de lá.

– E tu acha que foi ela a autora do crime? – gozou Fioravanti.

– Acho que nem time de futebol tem. Pelo menos em Copa do Mundo... Vou fazer uma pesquisa rápida no Google antes de partir.

– Finzinho de ano complicado...

* * *

Da casa do Darwin, Fiora ligou para o Diogão pra dizer que não ia tomar um porre com ele naquele dia mesmo porque estava viajando para a África onde ele, o Diogão, havia matado mais um, brincou. Mas ficaram de se ver logo.

O jantar na casa do Darwin era uma espécie de despedida dos dois policiais que partiriam perto da meia-noite para a Europa e África. As crianças brincavam no quarto enquanto Fioravanti, Darwin, Fabiana e... Carminha[27] com sua filhinha Duda[28]. Carminha acompanhava pau-a-pau o uísque com o Fioravanti.

– Carminha, tu conhecia aquele professor da Universidade Federal que foi assassinado?

– Assim-assim. Só sei que, apesar de casado, dava em cima de todas as alunas da engenharia.

– Isso nós já sabemos.

– Dizem que ele pegava as garotas e levava para um spa. Alugava um quarto para cada um, pra disfarçar. Nem comiam juntos. Devia ter dinheiro, né? Com tanto motel aqui na Ilha...

---

[27] **Carmen Silvia Ferraz**, a tal amiga da Fabiana, tem lá seus 40 anos. É vesga. Isso lhe dá um ar bastante interessante, mas não o suficiente para Fiora se interessar por ela. Como Fabiana, dentista e professora na universidade. Foi convidada sem o Darwin saber. Que, aliás, ficou puto.

[28] **Eduarda Ferraz**, uma pentelha de 8 anos, segundo Tomás e Valentim. Monopolizava o computador. Birrenta. Tem chulé, coitadinha.

– A mãe dele é milionária. Devia dar uma mesadinha.

Entra a empregada.[29]

– Tá na mesa, dona Fabiana.

– Vamos comer, gente, vão acabar perdendo o avião.

Fiora e Carminha seguem primeiro para a sala de jantar. Darwin segura a mulher pelo braço:

– Tinha que convidar a Carminha, tinha?

– Pois eu acho que eles estão se dando muito bem.

– Vai ver a Carminha é puta nas horas vagas.

– Darwin!!!

Valentim, Tomás e Duda entram correndo:

– Pai, conta a história do pum para o Tomás, conta.

– Pra mim também! – reclama Duda, se sentindo excluída.

Fabiana:

– Pum? Acho que não é o momento, Tomás...

Carminha:

– Adoro histórias escatológicas. Uma vez estava tratando de um canal gangrenado e/

– Gente, vamos comer as ostras?

As ostras estavam com aspecto de gangrenadas.

Darwin encheu todos os copos de vinho. Era o sangue que faltava.

---

[29] **Dircinha**. Nada a comentar.

“Uma pessoa que é boa com você, mas grosseira com o garçom, não pode ser uma boa pessoa.”

Ed Mort, de Luis Fernando Verissimo

CAPÍTULO 6

TU NÃO TEM NOÇÃO ALGUMA DO QUE SEJA FAZER SEXO

O primeiro vôo não durou mais do que cinqüenta minutos. Floripa–Guarulhos. O suficiente para Darwin tentar se explicar com Fiora sobre a presença da Carminha.

– O problema é que o Valentim foi dizer pra Fabiana que gostava de ficar lá em casa porque lá tinha mãe... Aí a Fabiana entrou numas.

Fioravanti continuou com os olhos no *Diário Catarinense*. Mas só os olhos. O que ele iria discutir com o Darwin?

– Ela cismou, não posso fazer nada, ela cismou em te arrumar uma mulher. Não que eu concorde com ela, mas acho que tu podia pensar na possibilidade.

– Grande multidão: ror – rosnou Fiora.

E anotou.

– Posso te fazer uma pergunta, Fiora, que nunca te fiz? Responde?

– Depende... Vilão da peça *Otelo*: Iago. Um grande filho-da-puta!

– Por que tu só transa com puta?

Fiora fez mais umas quatro palavras, dobrou o jornal, colocou no encosto.

– Lembra quando eu te disse que no meu tempo a gente não passava a mão nos peitos das namoradinhas? Transar, então, nem pensar. Mas nem pensar mesmo! Isso não passava pela cabeça das pessoas nos anos 60. Muito menos, é claro, na cabeça das meninas. E todo mundo ia pra zona. Lá em Lages tinha uma boa zona. Quer dizer, boa para o tamanho da cidade. A turma – tudo com menos de 18 anos – ia lá de tarde que elas faziam mais barato pra garotada. Na primeira vez que eu fui, todo nervoso, o Serginho me disse uma frase que eu nunca esqueci: "com a namorada, a gente só beija. Com as putas, a gente só não beija". Chamava Gaúcha,[30] a minha primeira puta. Entrei no quarto e ela já estava deitada de pernas abertas, um puta peito. Num canto uma bacia com água, no criado-mudo papel higiênico cor-de-rosa, aquelas lixas, sabe?, no ar um cheiro. Deitei em cima dela também com as pernas abertas, ainda com meia. Eu parecia uma estrela-do-mar. Ela percebeu que era a minha primeira vez, sorriu, pegou o meu pau e enfiou nela. Gozei em três segundos. Duas bombadas. Não mais do que isso. E assim foi. Descobri que elas tinham pressa em terminar. Fui me acostumando com aquilo. Nada de beijo, carinho, papo furado, nada. Introdução!

– Mas tu gostava disso?

– Pra mim era assim que se transava. Além das putas, só as empregadas, empregadas domésticas. Nunca dei sorte na minha casa... Acho que a minha mãe se preocupava com isso. Mas na casa do Caio tinha a Perereca, que eu te garanto que só na minha rua ela fez uns cinco cabaços. Baixinha terrível! Veja, Darwin, as duas profissões são muito parecidas. Ambas existem para nos servir. Quase como escravas. As duas categorias profissionais que me desculpem, mas são muito parecidas. São parecidas porque os senhores de engenho estupravam as escravas. É triste... (Pequena pausa) Claro que tenho tesão por outros tipos de mulheres. As que dirigem Kombi, as aeromoças e as freiras. Mas isso todo mundo tem – fez uma pausa,

---

[30] Jamais saberemos seu nome. Fiora nunca se esqueceu da Gaúcha. De vez em quando pensa nela. Estará viva em algum lugar do mundo? Já passada dos 80 anos, com certeza. Jamais soube o seu nome verdadeiro. Mas aqueles seios eram inesquecíveis. Úberes dos pampas!

como se estivesse voltando ao passado. – Por isso que a empregada lá de casa, a dona Célia, está acima de qualquer tentação. Pra evitar excitações adolescentes...

– A nossa também não dá pra encarar... E a Larissa?, uma gracinha...

Fiora não gosta da insinuação:

– A Larissa é empregada do Valentim! – disse, muito sério. – Muitos anos depois, já morando em Floripa, tive uma namorada que já tinha transado. Estudante de física, não é estimulante? Fui pra cama com ela. Fiz como eu sempre fiz. Ela se sentou na cama, me olhou e disse: "Não é assim! Não é nada disso!!!". Ficou puta da vida... E me deu uma aula. Eu não sabia, por exemplo, que mulher gozava, não sabia que tinha que deixar a mulher no ponto, entende? Carinho, essas viadagens. Mas ela me deu uma aula tão maravilhosa, tão abrangente, que eu nunca mais tive coragem de transar com ela. Tinha certeza absoluta que não ia dar certo. Que ia broxar, sabe como é? Terminei. Achava que não ia conseguir fazer aquilo tudo. Voltei para as putas. Outra química. Fui claro?

– Claríssimo. Mas isso tem uns quarenta anos. As mulheres mudaram.

– Mas eu não mudei. E estou bem assim. E as mulheres não mudaram tanto assim, não.

– Mas o que é que tu faz com uma puta que não podes fazer com outra mulher?

– Tu és muito jovem, Darwin, muito inexperiente.

– Mas me responda a pergunta.

– Então te prepara: a tua mulher enfia o dedo no teu cu?

Darwin arregalou os olhos, ficou pasmo, chocado, surpreso, assustado, espantado e perturbado.

– O que é isso, cara, olha o respeito!

– Me responda. Esqueça a tua mulher. Alguma outra já enfiou o dedo no teu rabo?

– Sai pra lá, cara! Papo mais besta!!!

Fiora dá um tapinha nas costas do pupilo.

– Pois é, Darwin. Tu não tens noção alguma do que seja fazer sexo. Ah, a Gaúcha e a Perereca!!!

– Eu, hein!?

– E quer saber mais? O problema do casamento é ter que comer a mulher! E não se fala mais nisso.

(Quero deixar bem claro que o autor não concorda com o personagem. Acontece, às vezes.)

* * *

Rota Rio–Lisboa.

Fioravanti bebeu duas garrafas grandes de vinho tinto português e desmaiou para não sofrer por não poder fumar. Darwin assistiu a um filme e, mesmo com um Frontal, não conseguia pegar no sono. Além do ronco do Fiora.

Pensava no caso que estavam investigando. Investigando ou fazendo turismo? Já duas semanas desde o primeiro crime e nada, absolutamente nada. Nenhuma pista, nenhuma denúncia anônima. Deviam estar tratando com profissionais. Mas existiam *serial killers* profissionais? Havia comprado um livro sobre este tipo de assassino, no aeroporto do Rio. Fioravanti havia olhado com desdém, enquanto comprava um policial de Fred Vargas[31] que, apesar do nome, é uma mulher.

Antes de abrir o livro, Darwin ficou pensando no "seu" *serial killer*. Um crime em Floripa, outro no extremo norte do país e agora numa ilha ex-vulcânica no meio do oceano Atlântico. O que unia esses três homens? Seria mais alguém da mesma família? Não, eram apenas dois irmãos. Um primo?

---

[31] **Fred Vargas** nasceu em 1957 em Paris. É arqueóloga medievalista, trabalha para o Centro de Pesquisas Científicas da França, toca acordeão e escreve livros policiais. Recomendo com entusiasmo. Seu verdadeiro nome é Frédérique Audoin-Rouzeau.

No índice, os mais conhecidos *serial* brasileiros: Adriano da Silva,[32] o Bandido da Luz Vermelha,[33] Chico Picadinho[34] e o mais recente, o Maníaco do Parque.[35]

---

32 **Adriano da Silva**, gaúcho de Passo Fundo, condenado a 94 anos, em 2007. Preso, Adriano da Silva, 25, confessou envolvimento na morte de doze crianças no Rio Grande do Sul, de acordo com a assessoria de imprensa da Polícia Civil. Ele disse aos policiais que praticou os crimes por prazer. A participação do acusado nos assassinatos ainda é investigada. As vítimas, com idades entre 8 e 14 anos, foram mortas nas cidades Sananduva, Passo Fundo e Soledade. Os crimes teriam sido cometidos a partir de agosto de 2002, conforme registros policiais. Silva era foragido da Justiça do Paraná, onde foi condenado por latrocínio – roubo seguido de morte – e ocultação de cadáver. Ele foi reconhecido por cinco vítimas que conseguiram fugir quando foram atacadas. (*Folha Online*)

33 **João Acácio Pereira da Costa**, mais conhecido como o Bandido da Luz Vermelha (24 de junho de 1942 – 5 de janeiro de 1998), foi um notório criminoso brasileiro. João Acácio foi rejeitado pela família ainda criança; dali por diante, sua vida no crime se iniciou. Chegou em São Paulo ainda na adolescência, fugindo dos furtos que praticara em Santa Catarina. Foi morar em Santos, onde se dizia filho de fazendeiros e bom moço. Na verdade, levava uma vida pacata no lugar que escolheu pra morar, praticando seus crimes em São Paulo e voltando incólume para Santos. Seu estilo próprio de cometer os crimes (sempre nas últimas horas da madrugada, usando um lenço para cobrir o rosto e carregando uma lanterna com bocal vermelho) chamou a atenção da imprensa, que o apelidou de "Bandido da Luz Vermelha", em referência ao notório criminoso estadunidense Caryl Chessman, que tinha o mesmo apelido.

34 **Francisco Costa Rocha**. Por ser considerado perigoso, Chico Picadinho continua preso até hoje, apesar de já ter cumprido a pena máxima prevista pelo Código Penal brasileiro, que corresponde a um período de trinta anos. Hoje, encontra-se mais precisamente no Hospital de Custódia e Tratamento Psiquiátrico Arnaldo Amado Ferreira, na cidade de Taubaté. Estudante de Direito à época dos crimes (esquartejou duas mulheres), Chico Picadinho era um homem muito culto. Até hoje passa seus dias na prisão praticando a pintura. Nos seus crimes ele agiu sob a influência do romance *Crime e castigo*, de Dostoiévsky, a quem chamou de Deus numa entrevista. Também é um grande fã da obra de Kafka.

35 **Francisco de Assis Pereira**, o "Maníaco do Parque", nascido em 1968, é um *serial killer* que estuprou, torturou e matou pelo menos seis mulheres e atacou outras nove. O referido Parque é o Parque do Estado, situado na região sul da cidade de São Paulo. Nesse local foram encontrados vários corpos das vítimas. O psicopata já havia sido detido como suspeito, mas liberado logo depois. Ao ver seu retrato falado nos jornais, descrito por algumas mulheres sobreviventes de seus ataques, ele fugiu para o Sul do país. Ao desaparecer, deixou apenas o jornal na sua mesa, o que alertou seus patrões (ele trabalhava como *motoboy*) que avisaram a polícia, que, assim, descobriu sua identidade. Durante a fuga, causou desconfiança aos moradores das cidades por onde passou, até que foi

Leu uma declaração do Francisco de Assis Pereira, o Maníaco do Parque:

Nunca contei isso pra ninguém, nem pra minha mãe. Eu tenho um lado ruim dentro de mim. É uma coisa feia, perversa, que eu não consigo controlar. Tenho pesadelos, sonho com coisas terríveis. Acordo todo suado. Tinha noite que não saía de casa porque sabia que na rua ia querer fazer de novo, não ia me segurar. Deito e rezo, pra tentar me controlar.

Deito e rezo – pensou Darwin quase em voz alta.

Depois começou a ler a vasta biografia do primeiro *serial killer* conhecido no mundo. Gilles de Rais,[36] francês do século XV. Antes de se tornar um assassino em série, foi um bravo soldado francês e lutou ao lado de Joana d'Arc.[37]

Bem, no nosso caso serão apenas sete...

Folheando o livro, assustado e meio aleatoriamente, dormiu. Torcendo para não sonhar com nada.

* * *

Acordaram quando o avião aterrissou na cidade de Praia, capital do arquipélago de Cabo Verde. Dali tomariam um avião local

---

denunciado e preso, sendo posteriormente enviado para São Paulo. Após ser capturado pela polícia, o que mais impressionou as autoridades foi como alguém feio, pobre, sem muita instrução, não portando revólver ou faca, conseguiu convencer nove mulheres, algumas até de classe média-alta e nível universitário, a subir na garupa de uma moto e ir para o meio do mato com um homem que tinham acabado de conhecer.

[36] **Gilles de Rais**. Entre 1432 e 1440, chegaram a contabilizar o desaparecimento de mais de mil meninos entre 8 e 10 anos na Bretanha. Em seu castelo, Gilles estava rodeado de uma corte grotesca de bruxas, alquimistas e sadistas. Gastava toda a fortuna em obras artísticas que lhe recordavam as campanhas com Joana d'Arc e em festas para seus estranhos amigos e conselheiros. As bizarrices, porém, ocorriam ao cair da noite, quando ele dedicava-se a torturar, estuprar e assassinar meninos, previamente seqüestrados por "bruxas". Para defender-se de acusações de que os meninos seqüestrados eram levados ao seu castelo, Gilles dizia que os entregava à Inglaterra para se tornarem padres.

[37] Sapatona francesa.

até a ilha de São Vicente, mais precisamente para a cidade de Mindelo. Na pista, caminhando até o aeroporto a temperatura parecia estar acima dos quarenta e o vento chegava a curvar os passageiros. Muitos jovens cabeludos e sarados protegiam o corpo com suas pranchas de surfe. E eles com as suas pastinhas de policiais recheadas com fotos de corpos sem pênis.

* * *

Ao fazer o *check-in* para Mindelo, na sala de embarque, a primeira surpresa. Havia uma balança quadrada no chão, de um metro por um. Ele colocou a sua mala.

A mocinha[38] indicou a balança.

– O senhor suba também, por *favoire.*

– Como?

– O senhor e sua bagagem. Por *favoire.* Temos que *contrabalançaire*, estás a *percebeire*?

Não, ele não estava. Mas subiu junto com a mala na balança. O mesmo fez Darwin, depois. Cada um recebeu um cartão com um número.

– Os senhores mesmos levem as malas.

Ao entrarem na pista, viram um pequeno avião branco. Os dois se olharam.

– Isso não vai dar certo. Esse avião deve ser da Segunda Guerra... – E era, ficariam sabendo depois.

Ao entrarem, notaram que havia uma fileira com dois bancos de um lado e do outro apenas um banco. A aeromoça – era a mesma do *check-in* – foi chamando pelo número da ficha. Agora eles entenderam. Para cada gordo que ficava na fileira de um banco só, ficavam dois magros do outro lado.

---

38 **Adélia Pinto**, bela mulata, 30 anos, olhos verdes. Mascando chicletes. A mãe está entre a vida e a morte no Hospital de Sal.

– Isso não vai dar certo...

O piloto[39] também era negro. Preconceituosamente, os dois pensaram que nunca haviam visto um piloto negro. Nem aeromoça. Ou seria o Brasil que era racista? Fiori, nesse momento, pensou:

Nós somos todos racistas! Sem exceção. As pessoas com mais de quarenta anos são piores e esta que é a verdade. Nós fomos criados pra nos considerarmos superiores aos negros. Pode não ter sido uma coisa muito explícita, mas estava lá. Nós fomos condicionados desta forma e isto está lá, é impossível arrancar!

Fioravanti ficou de um lado e Darwin do outro, ao lado de sua velhinha mirrada.[40]

Com um barulho mais parecido com o de um trator, aquilo conseguiu subir. Rodearam a ilha da capital. Lindas praias, muitos surfistas. A aeromoça fez o serviço de bordo. Uma bala de menta e um cafezinho que estava bom.

O avião voava baixo. Mas não chacoalhava. O barulho interno era tão insuportável quanto o calor. Fioravanti surpreendeu Darwin fazendo o sinal-da-cruz. A dona da farmácia o acalmou:

– Isso nunca caiu! Queres um tranqüilizante?

– Acho que vou aceitar, senhora.

Ela abriu a bolsa. A quantidade de vidrinhos ali dentro...

– O rapazinho está muito branco. Até pareces com meus putos quando viajaram comigo pela primeira vez de avião.

– Perdão... Seus putos?

– Sim, meus netinhos. Três putinhos lindos. Vou te mostrar as fotos dos meus putos. Olha, toma logo dois desses rosinha.

* * *

---

[39] **Comandante senhor Quincas**, 35 anos. Além de piloto, é protético na cidade de Mindelo. Estava com dor de dentes.

[40] **Doutora Filomena**, proprietária da única farmácia de Mindelo, 77 anos. E foi logo dizendo que não havia médico em Mindelo. A farmácia dela – Nossa Senhora de Fátima – resolvia tudo. Caso mais complicado mandava pra Praia. Velhinha sacana feito só ela.

Quando o avião pousou, todos bateram palmas. Fioravanti foi o primeiro a entrar na pequena cabine do piloto para cumprimentar.

Na pista, esperando o desembarque estava o delegado[41] da cidade e um outro homem alto e forte, que logo se apresentaria como Germano Almeida,[42] aquele conhecido do delegado Delgado.

O doutor Cintra era um homem prático e direto. Depois das devidas apresentações:

– Primeiro o hotel, depois o velório, depois a delegacia.

Germano completou:

– E, como ninguém é de ferro, depois vamos comer uma cachupa na minha casa.

Êpa! – pensou Fiora.

* * *

Fiora e Darwin chegaram bem perto do caixão que estava aberto. E viram o falecido.[43]

Os dois saem da sala e vão para o pátio de entrada. Fiora prende melhor o seu cabelo. Ambos estão suando. Fiora acende um cigarro:

– Darwin, como policiais, temos que ter a capacidade de ver o que é invisível. De observar o que é estranho naquilo que parece natural.

– Aonde tu quer chegar com isso?

---

[41] **Delegado senhor doutor Cintra**, uns 60 anos, sério, incapaz de um sorriso. Para surpresa de todos, contrastando com a cara fechada, vestia uma camisa do Flamengo. Apanha da mulher.

[42] **Germano Almeida**, advogado e escritor premiado, já publicado no Brasil, tem quase dois metros. Quem se lembra do gibi do Mandrake e seu fiel escudeiro Lothar, pode visualizar o escritor. É o próprio Lothar. Ex-deputado. Sorriso largo. 62 anos. O Darwin parecia um pigmeu branquelo ao lado dele.

[43] **Teodoro da Mata**, empresário de Cabo Verde, próspero advogado e dono de uma fábrica de cervejas em Mindelo. 48 anos, mais de dois metros, 150 quilos, calculou Fioravanti. Velório concorridíssimo. Gostava de chicotes.

– Darwin, agora temos uma outra ligação entre os três assassinados. Visível e física.

Darwin sorriu vitorioso.

– Já sei qual é, Fiora. Os três são gordos!

– Exatamente! Estás a aprender rápido, como dizem os nativos daqui, garoto. E digo mais: os três mortos são muito gordos. Muito! Aí tem! – viu um boteco. – Vamos praquele bar ali.

– Me veja um grogue! Duplo! – No caminho entre o aeroporto e o hotel uma das novidades nativas que Fiora já havia descoberto era a bebida local, a cachaça do arquipélago: o grogue. Como a nossa cachaça, de cana destilada. Mas muito mais forte. Fiora logo sentiria isso. – Tem um negócio que eu não estou entendendo, Darwin. Com esse sol danado, o doutor Germano nos convida para uma suruba?

Darwin engasga.

– Suruba?

– Ele disse: "como ninguém é de ferro, vamos comer uma cachopa". E na casa dele, ainda por cima!

– E o que é cachopa?

– Rapariga, como dizem os portugueses.

– Tou fora.

– Deixa disso, Darwin. Sejamos profissionais. Não podemos fazer pouco do homem. Deve ser costume aqui na África, pois-pois.

– Caceta...

– Os esquimós, por exemplo. Oferecem a esposa para quem vem de fora. Quem sabe na África não é assim?

– Eu, hein?

– E, se oferecerem a mulher, tem que comer, Darwin. Se não, vai pegar mal.

– Quem come é o chefe!

“Na melhor das hipóteses, chamava a isso perda de tempo. Mas perder tempo, nunca é tempo perdido.”

DELEGADO JEAN-BAPTISTE ADAMSBERG, DE FRED VARGAS

CAPÍTULO 7

UMA LOIRA INESQUECÍVEL, ALI PELOS QUARENTA ANOS

O hotel Porto Grande era bom e confortável. Com direito a piscina e bem na frente da principal praça de Mindelo, onde existe um honesto coreto para os domingos e tudo que uma simpática praça merece. Ao lado, ficava o único cinema da cidade. E, logo depois, uma boate chamada Cave.

Na delegacia, sem os luxos do Porto Grande, Fioravanti e Darwin leram tudo sobre o crime. Ou melhor, bateram os olhos na autópsia e nas fotos. Não havia nenhuma dúvida. Nada a acrescentar.

– Agora só nos resta saber se o assassino é de Santa Catarina, Maranhão ou de Cabo Verde. Algum brasileiro aqui na ilha nos últimos dias?

– Já investigamos. Cá em Mindelo, com certeza, nenhum. Dois brasileiros estiveram na Praia. Mas creio que acima de qualquer suspeita. Trabalham para uma ONG e vira e mexe estão por aqui. Em todo caso, aqui estão os nomes e os números dos passaportes. São baianos. E no seu hotel tem um paraguaio.

Fiora nem olha os nomes e passa para Darwin.

– Bom trabalho. Não acredito que ele entraria aqui com um passaporte brasileiro. Estamos trabalhando com um profissional, senhor delegado. Sua única falha foi a marca do baralho brasileiro. Mas, mesmo assim, pode ter sido de propósito para rir da nossa cara. Para avisar que era ele. Vocês falaram com o paraguaio? Pode ser um paraguaio falsificado – brincou Fiora, mas ninguém entendeu a piada.

O doutor Germano olha no relógio. Fiora pergunta:

– Senhor delegado, o falecido costumava ir ao Brasil?

– Muito. Passo a pergunta ao Germano, que era muito amigo dele.

– Sim, passava praticamente o verão de vocês lá. Ia em dezembro para a Parada Gay em São Paulo. Era paneleiro.

– Mas não é cerveja que ele fabricava? Panelas também?

Risada gostosa de Germano.

– Pois cá chamamos de paneleiro o que tu chamas de bicha. Cá, bicha é fila. No velório do Teó, por exemplo, tinha uma bicha imensa! Bicha dupla!

– Era paneleiro mesmo?

– Sim, discreto, mas paneleiro. Aqui ele não podia se soltar, mas cheguei a ver fotos dele na parada dos paneleiros e depois desfilando no carnaval de rua no Rio. Completamente solta...

– Tinha inimigos aqui?

– Imagina, era um homem muito bom. E duvido que alguém não gostasse dele no Brasil. A morte dele nos pegou de calças curtas, como dizemos por aqui.

– No Brasil dizemos o mesmo. Só que no caso específico pegaram ele de calças arriadas.

Ninguém riu da besteira que Fioravanti disse.

– Me desculpe.

Germano muda de assunto.

– Vamos para casa que as meninas estão a esperar! Conversamos no caminho.

Fiora e Darwin se entreolham discretamente.

No caminho, dentro da Mercedes verde do doutor Germano ("como a cor do Sporting de Lisboa, uma das minhas paixões"), pouco se falava. Fioravanti olhava pela janela.

– Estou notando que vocês têm alguma coisa de europeus. Imaginava que fossem mais negros, como vemos pela televisão quando tem algum conflito aqui na África.

Foi Germano quem explicou, agora já de novo com toda a sua simpatia:

– Talvez há uns três séculos nossos antepassados fossem tão negros como os senegaleses, que ficam a pouco mais de 400 quilômetros daqui, no continente. São quase azuis. Mas aqui sempre foi parada de reabastecimento de navios negreiros. Ingleses, franceses, holandeses. E foram deixando suas sementinhas. O que mais temos aqui são cabo-verdianos de olhos azuis ou verdes.

– Foi uma bela mistura. E, se me permitem, não posso deixar de observar como são bonitas as bundas das mulheres daqui. Estou impressionado. Reparou, Darwin? Olha aquela. Pelo amor de Deus, doutores!!!

– Cá não dizemos bunda. Dizemos cu. Veja aquilo.

Eles olharam e havia um *outdoor* de fraldas, com a foto de um crioulinho e a seguinte frase: "cuzinho limpo, cuzinho sadio".

Riram.

– E o cu propriamente dito, como chamam?

– Olho do cu...

Riram mais. Menos Darwin.

Mas Darwin estava mesmo preocupado era com a suruba. Ficou imaginando o doutor Germano, com toda aquela altura, pelado na sua frente. Devia ter um pau imenso... Como tinha o sujeito assassinado, o paneleiro chamado Teodoro, nas fotos, já morto.

– Ah, vocês, brasileiros. Adoram um cuzinho!

E deu uma gargalhada.

– O senhor acha, doutor Germano, que, no caso da morte do doutor Teodoro, tinha cu?

– Cu, não sei. Mas pila, tinha.

Outra gargalhada. Chegou até a tossir no final.

* * *

A suruba na casa do advogado, escritor e ex-deputado Germano Almeida, ofereceu várias surpresas.

A primeira é que foram recebidos por Donana[44] e uma garotinha[45] que falava numa estranha língua[46] com a mãe.

Não havia nenhuma puta na casa, ficou aliviado o Darwin e decepcionado o chefe. Este chamou Germano ao lado.

– Mas tu não disse que nós íamos comer uma cachopa?

Germano entendeu a confusão e balançou o corpo todo, rindo. Teve que se sentar. Todos ficaram olhando para ele. Quando ele conseguiu recuperar a respiração:

– CachUpa, cachUpa! É uma comida típica aqui de Cabo Verde.

Virou-se para todos na sala e contou a confusão. Gargalhadas gerais. Fiora não sabia onde enfiar a cara e Darwin não ficou mais preocupado com o tamanho da pila do escritor.

– Pronuncia-se catchupa!

Aninha, em crioulo, perguntou para o pai o motivo de tantas risadas. O pai disse alguma bobagem, mas deve ter mentido porque a garota não esboçou nem um mísero sorriso.

– Meus amigos Fioravanti e Darwin, quero ter a honra de apresentar o maior orgulho de Mindelo e das nossas dez ilhas!

Um senhora baixinha se levantou e deu dois passos até a dupla. Estava descalça.

---

[44] **Dona Ana Coimbra de Almeida**, esposa do Germano, bem mais jovem do que ele. Depois ficariam sabendo que era a quarta esposa do Lothar. Muito bonita, cabelos castanhos cacheados e longos.

[45] **Aninha**, filha do casal, 6 anos. Esperta, não falava português, mas entendia um pouco. Só falava crioulo. Em Cabo Verde, as crianças só aprendem o português quando entram na escola, aos 7 anos. Odiava a Barbie.

[46] Crioulo. Diz-se de ou cada uma das línguas mistas nascidas do contato de um idioma europeu com línguas nativas, ou importadas, e que se tornaram línguas maternas de certas comunidades socioculturais: crioulos franceses (Haiti, Martinica, Guadalupe), crioulos ingleses (Jamaica, Estados Unidos), crioulos portugueses (África, Índia, China), crioulos neerlandeses (Indonésia).

– Dona Cesária Évora,[47] a Rainha da Morna!!!

Fioravanti surpreso com a presença dela beijou-lhe a mão. Duas vezes.

– Na verdade, dona Cesária, não vim à tua cidade para investigar nenhum crime. Vim para conhecê-la, apreciá-la e beijar suas mãos!

– Ora, vocês, brasileiros. Adoro o seu país! Que sonoridade... Gravei com a Marisa Monte. Como vai ela?

Entra Donana.

– Senhoras e senhores, a cachupa. Cachupa!, senhor Fioravanti.

Parecia um grande ensopado.

– O que vem a ser exatamente a catchupa?

– É feita com milho pilado, feijão ou favona e carnes. Pode ser lombo ou entrecosto de porco, às vezes galinha, toucinho ou peixe.

Darwin, que não sabia o que era pilado e favona:

– O jeitão é ótimo.

Logo em seguida, a empregada[48] entra com uma enorme bandeja de prata com um peixe de pelo menos um metro. Os olhos pareciam duas bolas de gude. Do peixe, não da loira.

---

[47] **Cesária Évora**, nascida em Mindelo, 27 de agosto de 1941. Também conhecida como "a diva dos pés descalços", que é como se apresenta nos palcos, em solidariedade aos "sem-teto" e às mulheres e crianças pobres de seu país. À morna, um gênero musical profundo em sentimentos e aparentado ao fado português, cantado em crioulo cabo-verdiano, ela adicionou toques sentimentais com sons acústicos de violão, cavaquinho, violino, acordeão e clarineta. Também várias vezes a ouvimos cantar fado, o qual foi, literalmente, conquistado por esta voz tropical. O *blues* cabo-verdiano de Cesária Évora tem como tema a longa e amarga história de isolamento do seu país e do grande comércio de escravos, assim como da saudade e da emigração – o número de cabo-verdianos morando no exterior é maior do que a população total do país. A voz de Cesária Évora, acompanhada de instrumentos que lhe dão um toque de melancolia, ressalta a emoção, que caracteriza a interpretação. Mesmo platéias que não entendem o idioma interagem com emoção nas apresentações. Fez vários duetos com Marisa Monte. Em 2004, conquistou um prêmio Grammy de melhor álbum de *world music* contemporânea. Em 2007, o presidente francês Jacques Chirac distinguiu-a com a medalha da Legião de Honra de França.

[48] **Gertrud Vallander**. Uma loira inesquecível, 41 anos. Jeito de mulher inteligente.

– Diretamente da Dinamarca!

– O peixe?

– Gertrudes, nossa... secretária!

Fiora achou aquilo o máximo. Uma família de negros com uma empregada loira! E linda.

Gertrudes cumprimentou com a cabeça a todos e foi para a cozinha.

– Sugiro um tinto português!

Apoio unânime.

– E vou logo abrir duas garrafas porque conheço o meu gado.

– Apoiado! – gritou dona Cesária enquanto dava uma talagada no seu grogue, conversando com Fiora e Darwin sobre Dorival Caymmi.

O homem devia ter dinheiro. Estava abrindo dois Pera Manca. Serviu todo mundo. Foram para a mesa. Germano pediu o prato de Fioravanti. Com uma colherzinha e muita paciência tirou um dos olhos do peixe e o depositou delicadamente no centro do prato. Estendeu para ele. O outro olho, retirado com a mesma delicadeza, foi oferecido à cantora.

Fioravanti ficou olhando aquele olho no centro do prato que, por sua vez, parecia que olhava para ele. Lembrou do olho do cu. Darwin ficou feliz porque os peixes só têm dois olhos.

– É um costume cabo-verdiano, doutor Fioravanti. Os olhos para os mais ilustres convidados.

– Sei...

Todos entornando o vinho com os olhares direcionados para Fiora. Fiora sorriu mais do que amarelo, mostarda talvez, para todos. Darwin, internamente, se divertia.

– Tem que mastigar? – adiava Fiora.

A Rainha da Morna pegou garfo e faca e cortou o seu olho pela metade. Saiu um líquido de cor indescritível. Uma gosma.

– É muita honra – conseguiu dizer Fioravanti.

– Vamos logo, porque a cachupa está a esfriar.

Fiora olhou distraidamente para a porta da cozinha. Conseguiu ver, lá dentro, Gertrudes rindo. Rindo dele. Olhou para o outro lado.

Cesária mastigava a primeira metade, com a cara ótima. Fiora encheu a boca de Pera Manca, enfiou o olho inteiro na boca, deu uma mastigada e o troço foi descendo. Sentiu passar pela garganta, esôfago e cair no estômago que deve ter levado um susto danado. Gertrudes, na cozinha, há uns dez metros, bateu palminhas, sorrindo. Tirou o avental e veio sentar-se à mesa.

– Pois. Que tal? – perguntou Donana.

Fiora tomou o que restou da taça de Pera Manca.

– Uma iguaria! – disse olhando para Darwin que estava com cara de nojo. E para Gertrudes, que sorria para ele.

Gertrudes começa a servir a todos.

– *Uden mad og drikke duer helten ikke!*

Fiora e Darwin se assustaram com aquela língua estranha. Germano socorreu:

– É dinamarquês. Agora traduza, por favor, Gertrudes.

Sorrindo, olhando para Fiora:

– Sem comer e beber, o herói não é bom.

Aplausos gerais. Ela agradece.

A cachupa era bem melhor que o olho. Mas melhor mesmo era a empregada. Precisava levar um papo com o Germano mais tarde. De onde saiu aquela mulher?

Quando ela foi retirar os pratos e se debruçou, Fioravanti jura que viu os bicos dos seios: *cor-de-rosa, Darwin! Cor-de-rosa!*

E ela disse, com forte sotaque:

– Estive na *sua* país tem pouco tempo... *Muita* lindo! *Frolianópole*. Certo?

– Não acredito! Sou de lá...

Gertrudes sorriu e levou uns pratos para a cozinha.

Foi Dona quem explicou:

– Ela foi para um congresso internacional de chefes de cozinha.

– Me lembro. Foi no Costão do Santinho. Mundo pequeno...

– *Muita* – disse Darwin, já imaginando tudo que ia rolar entre os dois. Conhecia bem o chefe.

“Se aquilo era uma ilusão, pelo menos era uma ilusão de peitos grandes e suculentos.”

REMO BELLINI, DE TONY BELLOTTO

CAPÍTULO 8

– ACABOU... EU CONTO, EU CONTO. VOCÊS ME ACHARAM...

Os dois resolveram voltar para o hotel a pé. Além de ser perto, Fioravanti precisava andar. Antes e depois do olho havia bebido muito. Estava quase cambaleante, falando com a voz pastosa. Darwin, como sempre, firme.

– Me responde uma pergunta, Darwin: qual a principal diferença entre a *Playboy* americana e a brasileira?

– Sei lá!

– Na americana, temos seios, úberes, verdadeiras tetas que mal cabem nas páginas duplas. Na nossa, temos bundas. Bundinhas de penugem loira, bundinhas de contorno marrom, até bundinhas cor-de-rosa.

Quando Fiora bebia demais gostava de usar palavras difíceis. Não falava, palestrava.

– Americano não gosta de bunda?

– Eu diria, Darwin, que americano não conhece a bunda. Aliás, no mundo inteiro, não existem bundas como as nossas. A bunda é um produto externo e bruto tipicamente brasileiro. Às vezes, a revista americana faz edições especiais sobre seios. No Brasil, fazemos verdadeiros compêndios sobre (e sob) bundinhas. Narcisamente, o brasileiro adora a própria bunda.

Fiora se encosta numa árvore e vomita, apoiado pelo Darwin.

– Foi o olho!!! Foi o olho do cu!!! Mas de onde veio a nossa bunda? Não das alvas portuguesas, muito menos das esparramadas italianas e, menos ainda, das desbundadas japonesas. Muito menos das amassadas índias. Sempre me intrigou esta tanajúrica pergunta! Quem arrebitou com pincel de ouro, com formão de prata, a bundinha brasileira?

– Quem? Quem?

– Tinha essa dúvida até conhecer Cabo Verde. Foi aqui que tudo começou. Bundas livres de Portugal desde 1975. E a bunda brasileira, antes de chegar lá, passou por aqui, vinda do continente africano. Ou seja, foi aqui que inventaram a fórmula, o contorno quase lúdico, o molde mais que esteticamente perfeito. Tá acompanhando, Darwin? A bunda politicamente correta. Tenho certeza dessa afirmação e vou tentar provar.

Andavam na direção do coreto da praça.

– Foi aqui que surgiram as primeiras mulatas. Apesar da palavra mulata ter origem espanhola, o conteúdo foi uma criação dos ingleses, holandeses e dos franceses que por aqui passavam desde o século XVI com seus navios negreiros levando escravos para o Brasil. Aqui era o *point* no meio do Atlântico. E aqui os brancos deixaram o sêmen (do latim *semen*, que significa semente) para a fabricação das mulatas com suas respectivas bundas. Gostavam tanto das cabo-verdianas que *Sir* Francis Drake, pirata-mor daqueles tempos, chegou até a saquear o país em 1590 a mando da tal Companhia das Índias Ocidentais. O saque durou sete anos e milhares e milhares de sementes foram im(plantadas). Tinham sacado a bunda. Vide Google.

Fioravanti subiu ao coreto. Abriu os braços como se estivesse fazendo um comício.

– Cabo-verdianas e cabo-verdianos! Esta mistura deu a cor atual das nativas. Não são negras como as vizinhas senegalesas, são marrons. Ou castanhas, como preferem elas. E lindas. As cabo-verdianas são lindas! Uma espécie de Sônia Braga bem queimada. Naquele tempo. Olhos claros como dos piratas bisavós. Vai ser difícil descrever a bunda das mulheres de Cabo Verde lá no Brasil. Tem que ver para crer. São Tomé não acreditaria em seus próprios olhos. Mas, olhando uma delas passar, tu percebe que ela está no doce balanço a caminho do mar (do Brasil).

Eis que passa na frente deles uma bunda vestida com uma minissaia verde, justa. Justíssima. Fiora vê e desce do coreto. Seguem a bunda por alguns quarteirões, em homenageante silêncio, até que ela entrou numa casa e eles voltaram para a praça sem a necessidade de dizerem nenhuma palavra um para o outro. Era uma obra-prima da natureza aquele glúteo vulcânico.

– É, a nossa bunda veio da África, mas se aperfeiçoou em Cabo Verde...

* * *

Entraram no hotel. Fiora não queria nem falar em jantar. Iria subir para o seu quarto e desmaiar. Provavelmente só acordaria no dia seguinte. Mas, ao pegar a chave, um sujeito[49] conversava com o gerente em espanhol. Devia ser o paraguaio. O pilequinho passou na hora. O paraguaio se despediu e subiu para o quarto. Fiora se informou.

Bateram no 201. Gutierrez abriu, escovando os dentes. Como num filme, os dois esticaram quase na cara dele as credenciais.

– Polícia Federal de Santa Catarina, Brasil.

Foi visível o susto do paraguaio. Engasgou com a pasta de dentes. Tossindo, fez sinal para os dois entrarem. Pediu licença e foi ao banheiro terminar suas abluções. Fiora e Darwin se sentaram na beirada da cama.

Gutierrez voltou enxugando o rosto, com os olhos ainda vermelhos de tanto tossir. Havia apenas uma cadeira no quarto. Sentou-se nela.

---

[49] **Juan Gutierrez**, de Assunção, Paraguai. Há dez dias em Mindelo. Profissão: ninguém sabia. Passava os dias praticamente no quarto e na piscina.

E começou a chorar feito uma criança pega fazendo alguma traquinagem, ou aldrabice, como diziam os cabo-verdianos. Fiora e Darwin ficaram ali, quietos, esperando o paraguaio falar. E ele falou. Em português.

– Ok, ok. Como me acharam aqui?

– Vamos, desde o começo. E não pule nenhum detalhe, *señor* Gutierrez.

– Meu nome é Paulo Miguel Guimarães Pinto.

Volta a chorar mais. Fiora abre a janela que dava para a praça. Acende um cigarro. Darwin colocou o gravadorzinho em cima da mesinha.

– Como me acharam aqui? – e limpava o rosto com a toalha azul-clara.

– Quem pergunta somos nós. Desembucha! Ou prefere ir conversar na delegacia?

– Pra mim tanto faz. Agora acabou tudo. Acabou... Achei que estava livre daquilo tudo. Acabou... Eu conto, eu conto. Vocês me acharam...

E contou tudo:

– Eu sou dono, ou era, de uma mineração de carvão em Criciúma. Era casado com ela, que era minha mulher, a Graziela, há cinco anos. Vocês sabem, ela era muito mais jovem do que eu... Mas quando ela foi eleita Miss Criciúma Casada, quando o prefeito Antonelli entregou a faixa para ela há dois anos... Vocês devem ter visto a foto dela. Eu enlouqueci. Ela tinha a beleza, aquele corpo e eu tinha dinheiro, estão me entendendo? Uma coisa puxa a outra. Ah, Graziela... Mal sabia eu, naquele momento, que... – volta a chorar.

Fiora e Darwin se entreolham. Ficam quietos, aguardando.

– O problema de ser corno, seu guarda/

– Seu guarda é a puta que te pariu!!!

– Desculpa. Bem, o resto vocês leram nos jornais. Não faz tanto tempo assim. Matei! Matei!!! Pronto! Falei...

Tanto Fiora como Darwin se lembravam do crime que abalou Criciúma, como dizia o jornal local *O Popular*.

– Lembramos. Mas estou com a memória curta. Vamos aos fatos!

– Porra, ela tava dando para a Udesc inteira, caralho! E ainda dava dinheiro, o meu dinheiro!, pra garotada. Uma puta! Depois que deixei ela esfaqueada e morta lá perto do rio Criciúma, fui de carro até o Paraguai e consegui o passaporte. Achei que ninguém ia me achar aqui. Putaqueopariu!!! Como conseguiram? Não acredito... Não acredito!

– *Señor* Gutierrez, o senhor é um homem muito azarado. O *señor* nem faz idéia do quanto. Vamos para a delegacia! – para Darwin – Tava muito fácil pra ser verdade...

* * *

Depois de jantar e sozinho na praça, Darwin viu movimento na frente da boate Cave. Resolveu ir lá ouvir as músicas típicas da região. Era a desculpa que diria depois ao chefe.

Mas, lá pelas onze da noite, ele voltou correndo para o hotel. Chacoalhou o Fioravanti:

– Vem, vem, lembra daquela bunda?

– Estava sonhando com ela.

– Veste, veste! Ela está na boate. A bunda está dançando na boate! Aquela! Dançando!!!

– Aquela-aquela?

– Aquela-aquelíssima!

E lá foram os dois para a boate. Não só a bunda de verde deles, agora num fulgurante amarelo, dançava, mas uma infinidade delas. *Que espetáculo!*

– Este país nasceu com a bunda virada para a lua!

E entre os ritmos das mornas, tabanka (um ritmo quase de carnaval) ou o tululu, quem é que Fiora vê dançando lá no meio da pista, destoando um pouco no requebro, na cor da pele e na altura?

Sim, a dinamarquesa de bicos cor-de-rosa!!!

A merda é que eu devo estar com um puta dum mau hálito...

– Darwin descola uns dropes aí!

– Quê?

– Tou com um bafo de grogue, vinho, cachupa, vômito e de quem acabou de acordar. Fora o filho-da-puta daquele olho. Vá, bala, halls, pirulito, qualquer merda. Gosto forte. Hortelã!

– É, realmente, com esse bafo aí não vai dar pra enfrentar a rainha da Suécia, meu Hamlet...

– Não faça confusão, Darwin. Dinamarca! Hamlet era filho da rainha da Dinamarca que, também, se chamava Gertrudes, como esta. Vai, às balas!

Lá do meio da pista, a Rainha o vê e acena. Ele faz um sinal pra daqui a pouco. Coloca a mão em concha na boca.

Volta Darwin cheio de guloseimas:

– Darwin, meu garoto, às vezes, é preciso apenas tocar um livro, ou olhar para o rosto de uma mulher, para fazer o coração de um homem disparar novamente.

“Procure uma ligação mesmo onde acha que não pode haver nenhuma.”

Inspetor Kurt Wallander, de Henning Mankell

CAPÍTULO 9

O QUE TU SABES SOBRE A MAÇONARIA, DARWIN?

Há mais de dez anos que, religiosamente, o obeso Zé do Carmo[50] fazia o que ele mesmo chamava de falecimento temporal: morria. Depois de quinze dias, ressuscitava e continuava a vida.

Ficava morto no seu sítio em Corrêas, na região de Petrópolis, sem contato telefônico com a esposa[51], seus cinco filhos[52] – quatro do primeiro casamento e outro[53] de apenas 11 anos, filho da atual mulher –, não via televisão, não recebia visitas, não lia jornais. Não sabia o que rolava pelo mundo. Não falava com ninguém. Nem ouvia. Lia.

Enquanto morto, lia. Em média, mais de um livro por dia. E bebia. Em média, seis doses de um bom uísque por dia. Duas antes do almoço, duas antes do jantar e duas depois da ceia. Seu único contato com o mundo externo era a dona Regina.[54] Mesmo assim, em termos. O homem era mesmo sistemático.

---

50 **José do Carmo Toledo Borges**. Zé do Carmo está para completar 60 anos. Carioca, foi para Brasília antes da inauguração, com vinte e poucos anos. Era funcionário da Biblioteca do Senado no Rio de Janeiro. Mudando-se para a futura capital, naquela época, ganharia dois anos para se aposentar a cada ano passado. Aposentou-se ainda jovem como diretor-geral da Biblioteca do Senado Federal. Adora peidar debaixo dos lençóis.

51 **Janete Sandoval**, 41 anos, sua esposa. Ex-secretária dele, causa da separação com a primeira mulher. Gastadeira. Nova-rica, ouro pelos braços. Tatuagem na nuca.

52 **Júnior**, **Kleberson**, **Washington**, **Cleyson** e **Everton**. Nenhum deu certo na vida. Em nada.

53 **Carminho**, um amor, esperto, razão de viver do Zé do Carmo. Este iria dar certo.

54 **Regina Campos de Moraes**, mulher do caseiro, 58 anos, há mais de quarenta trabalhando para a família do Zé do Carmo. Vinha, cozinhava, arrumava as camas; duas vezes por semana, uma faxina na casa toda e boca calada enquanto Zé do Carmo está naquele período. Sente um certo prazer em cortar o pescoço das galinhas.

Naquele dia, 31 de dezembro, era o da ressurreição. Iriam chegar a sua mulher, o filho pequeno e um casal de amigos, também com uma criança, para passarem o ano. Ele voltaria a falar, ler jornais, enfim, voltaria ao mundo. E a data era sempre esta, pegando o Natal, que ele odiava, assim como os anúncios de Natal pela televisão. Preferia trocar tudo pelas 6 mil páginas de livros policiais que lia ali, anualmente, no período de duas semanas. Fora, é claro, as dez garrafas de Logan.

Portanto, acordou muito cedo, tomou o café com leite e pão com manteiga que a dona Regina já havia preparado, mereceu um bom banho e depois foi caminhando e assoviando *A banda*, do Chico, até o centrinho de Corrêas comprar as revistas semanais, dois jornais de São Paulo e dois do Rio de Janeiro.

Sentou-se na rede da varanda e devorou aquilo tudo em duas horas e meia.

– Com licença, doutor José do Carmo. Com licença?

Ele assentiu com a cabeça. Cara fechada.

– Bem, na verdade, eu vim aqui só pra saber direitinho que horas o pessoal *chegam* pra ir me *organizano*, mas, se o senhor me desculpar... Eu... O senhor está bem?

Ela até se curvou um pouquinho para olhar melhor o rosto dele.

– Dona Regina, todo ano, quando eu ressuscito e vou saber as notícias, eu fico com a esperança que alguma coisa tenha mudado na minha ausência e percebo que, como todo ano, no Brasil é sempre Natal.

Dona Regina balançou a cabeça branca para a direita e para a esquerda.

– Isso o senhor me fala todo ano, doutor. Mas hoje a coisa tá diferente. O senhor tá *branquim, branquim*. Quer que eu *chamo* o seu Acácio pra tirar a pressão?

Zé do Carmo estica a mão e percebe que está trêmula.

– Acho melhor você me servir uma dose de uísque, dona Regina.

– O senhor vai me desculpar, doutor, mas não são nem dez *hora*. Da manhã!

– Por favor, dona Regina. Bastante gelo.

Ela sai, caminhando para a porta, mas sem tirar os olhos do patrão. Ele tira o lenço. Sim, ele usa lenços brancos e úmidos, que passa na testa. Sabe que não está bem. Aquelas notícias. Aqueles setes de paus!

Pelos jornais e revistas ficou inteirado do crime de Florianópolis e de São Luís. Ele conhecia os dois irmãos Schneider. E bem. E havia, numa das matérias, cinco ou seis linhas sobre a possibilidade do *serial killer* ter atacado também em Cabo Verde. Estava relendo tudo quando a dona Regina trouxe o uísque toda contrariada.

Depois de dar o primeiro gole:

– Um último favor e vou deixar a senhora em paz. Elas chegam no final do dia. Lá pelas sete. Confio na ceia de *réveillon* da senhora.

– E o favor, qual é?

– Ah... Me traga o *notebook*. Olha, e deixa a garrafa aqui.

– Doutor...

– Tudo bem, dona Regina. Fica fria.

– Não fico *memo*.

E saiu.

Cabo Verde: Teodoro, o Teó??? – ficou se indagando Zé do Carmo. Mais um gole e mais um!

Se foi ele, o Teodoro, eu tou fudido!!! Fudido. A Venerável Grã-Ordem de São Fuldêncio do Pau Cortado... PUTA QUE O PARIU!!!

* * *

Fioravanti estava recostado na cama do hotel, fumando, depois de. Gertrudes estava deitada de costas, nua. Ainda ofegante, Fiora passava o indicador nas costas dela, subindo e descendo. E ela continuava explicando como havia chegado em Cabo Verde.

– O príncipe Joachim *ficar* noivo de *um* francesa, *Mademoiselle* Marie Cavallier. Aí que eu *entrar*. Fui selecionada para dar aulas de dinamarquês para a cachopa. Ia casar com um príncipe dinamarquês, *entender*? Ia virar cidadã dinamarquesa e se converter ao *luteranism*. Dava *aula* todas as *manhã* no Palácio de Amalienbrog. Fiquei a pegar amizade com todos eles, inclusive a rainha Margareth. Foi quando dei *o* idéia de fazer *um* comida *típico* do interior. Pronto: *virar* chefe de cozinha do palácio.

– Mas lá ninguém comia olho de peixe, né?

– Que *noja*! E, há dois anos, a rainha e o marido *viram* passar férias *acá*. Eu *gostar*: sol, sol, sol. Ficar. Joachim e Marie *casou* em março.

– Deus existe! Como se diz Deus em dinamarquês?

– Gud!

– Gud?

– Gud! *Ter* um *provérbia* dinamarquês que *dizer*: O que tu é, é um presente de Gud para ti. O que tu faz contigo é um presente teu para Gud.

– Tu acredita em Gud?

– Ainda não *pensar* no caso.

Fioravanti, enquanto ela contava sua real aventura, enrolara um.

– Gosta?

– Muita.

– Gertrudes, Deus está nas coincidências. Tu poderia nunca ter saído da Dinamarca e eu nunca ter vindo aqui.

– Bom, *não ser*?

* * *

Em Mindelo agora são onze da manhã. Darwin está sentado num banco da pracinha em frente ao hotel. Vários faxes e *e-mails* impressos, em sua mão. *Fiora continua dormindo?*

Não deve ter sido fácil enfrentar aquela dinamarquesa – cogitou Darwin. Mas ele tinha que acordar o homem. Ia ouvir até latidos. Mas tinha. Releu a página inteira do *Diário Catarinense*. Releu o *e-mail* do ministro da Justiça para o delegado-geral da Polícia Federal, em Brasília, encaminhado ao delegado Delgado e, agora, para eles. O Brasil estava pegando fogo com os dois crimes. *E o Fiora dorme...*

Abriu seu livro sobre *serial killers*. Leu sobre Dennis Rader,[55] americano.

Darwin fechou seus apontamentos.

Levou nove anos para ser preso! Até que estamos indo bem...
– Mesmo assim, resolveu ir acordar o rei da Dinamarca.

* * *

Diante da porta do quarto, não teve coragem de bater. Enfiou por baixo da porta todo o material que havia recebido do Brasil pela Internet. Mas, ao fazer isso, ouviu que Fiora estava ao telefone. E ouviu mais:

– Entra!

Entrou. Fiora, deitado e recostado na cama, fez sinal para ele se sentar e esperar. A dinamarquesa não estava ali. A não ser que estivesse no banho. Mas a que horas ela teria ido embora? Ou nem foi para o quarto? Darwin, de plantão lá fora, não havia visto ela ir embora.

---

55 Em 1974, na pequena cidade de Winchita, no interior do estado do Kansas, nos EUA, **Dennis Rader**, um aparentemente tranqüilo e pacato funcionário público municipal e escoteiro, iniciava uma carreira assustadora de assassinatos em série, marcados por uma frieza e sadismo impressionantes. Auto-intitulado BTK (Bind-Torture-Kill), que quer dizer "Amarrar-Torturar-Matar", o assassino ridicularizou as autoridades policiais com pistas e cartas endereçadas à mídia, além de reivindicar autorias de crimes e criar uma atmosfera de terror e medo na pequena Winchita. BTK pode ter matado pelo menos dez pessoas. Frio, calculista e dono de uma mente doentia, fazia de seus crimes verdadeiras alegorias de crueldade e loucura, como, por exemplo, amarrar bonecas nos corpos das vítimas. Dennis Rader foi preso em 26 de fevereiro de 2005, pelo chefe de polícia de Winchita, Norman Willians, quando, friamente e sem demonstrar arrependimento, assumiu ser o temido assassino BTK.

– Estou falando com a Denise.[56] Ela foi pegar um relatório. Tudo bem? Cara saudável!

Darwin pegou o material que estava no chão e colocou em cima da cama. Fiora bateu o olho, despreocupado. Voltou ao telefone.

– Certeza? Os dois? Ótimo, Denise! Dia 3 estamos aí. Feliz ano-novo! Outro. Me transfere para o Delgado. Mando sim.

Darwin leva um susto:

– Como "dia 3"? Se esqueceu que a Fabiana vai para o spa dia 2? Pirou?

Fiora faz sinal de calma para Darwin.

– Com quem o Tomás vai ficar? E o Valentim?

Fiora faz outro sinal de calma para Darwin.

Mas Darwin não fica calmo.

– Se quiser falar comigo, estou no bar do hotel.

Darwin sai. Mas ainda ouviu:

– Delegado Delgado? Feliz ano-novo!!!

* * *

– Tomando vinho a essa hora?

E não era meia garrafa que o Fiora via em cima da mesinha com vista para a pracinha. Não era também um Pera Manca, mas um bom vinho alentejano.

Fiora estava muito tranqüilo para o gosto do Darwin. Sentou-se e se serviu na taça que Darwin havia pedido para ele também.

– Maçons, alerta!
Tende firmeza!
Vingai direito.
Da natureza!

---

[56] **Denise Cabral**, uns 50 anos, é a secretária de Fioravanti, na Federal, em Floripa. Solteirona, chegada numa igreja católica. Ela ainda não havia entrado na história porque, até agora, o Fioravanti não esteve da sala dele, desde que começou o livro. Masturba-se pensando no chefe. Há anos. Vem a ser tia da Ana Paula Coimbra, do rodapé 13.

E deu um belo gole.

– Já temos uma pista, meu querido garoto.

Fez tim-tim.

– Primeiro me explica o "dia 3".

– O que tu sabes sobre a maçonaria, Darwin?

– Nada! Só sei que eles não contam nunca, direitinho, o que é.

– Os dois irmãos mortos lá no Brasil, os Schneider, e o cabo-verdiano, são maçons!!! Tá seguindo o meu raciocínio? É *um serial killer* de maçons, garoto!

– Mas que louco sairia por aí matando maçons? A troco do quê? Nas minhas leituras sobre *serial killers,* descobri que eles são um tipo de louco, Fiora. E todo louco tem a sua lógica. Um louco que viveu a vida inteira sem que ninguém percebesse que era louco não começa a matar sem mais nem menos. Precisa, pelo menos, ser provocado. A maçonaria, na cabeça do nosso Sete de Paus, deve ter algum significado. Ou algumas das pessoas lá de dentro.

Fiora ficou olhando para ele com a boca meio aberta. Pegou um guardanapo para limpar um pouquinho de vinho que escorreu entre os dentes.

– Os três!!! Maçons!!! Gordos e maçons!

Fioravanti bebe como se o caso estivesse resolvido.

– E por causa da maçonaria vamos chegar só dia 3 no Brasil? E as crianças?

– Apesar de estar completamente apaixonado pela Rainha da Dinamarca, não vamos ficar aqui nem mais um dia. Eu dizia no telefone que vamos chegar dia 3 no escritório. No escritório! Dia 2 de manhã estamos em Floripa. Continua tudo igual, garoto.

Darwin relaxa.

– E o que mais a Rainha te contou?

– *Granda* mulher, como dizem aqui. Quando acabar esse caso, volto para cá. Passar as minhas férias aqui. O Valentim vai adorar!

– Xi...

– Resumindo, Darwin: como a própria Gertrudes me disse, todo paneleiro gosta de andar com mulheres lindas. Ela era a melhor amiga do Teó – como ela se refere a ele –, paneleiro, maçom e fabricante de cervejas aqui de Cabo Verde. Íntima! Bom vinho, Darwin! Bom vinho!!!

Darwin tentou segurar, mas não resistiu e perguntou:

– E, no mais, foi tudo bem com a dinamarquesa?

– Ela não raspa os pêlos. Quer negócio melhor? Sempre fui pelos pêlos!

– Que mais?

Volta a encher o seu copo.

– Darwin, é mais informação do que tu precisa.

– Claro, claro...

– Principalmente quando se trata de uma ninfomaníaca nórdica...

– É mesmo, é?

– Chega!

* * *

Foi facílimo, pelo Google na Internet, achar o *Jornal de Cabo Verde* e ler sobre a morte dele, Teodoro da Mata.

Quem vai ser o próximo? Eu???

Zé do Carmo gelou, achou que ia desmaiar, que ia morrer. Encheu o seu copo, que não tinha mais gelo, de uísque. Deu dois goles. Ele precisava se controlar. Podia ser paranóia, podia. A Venerável Grã-Ordem de São Fuldêncio do Pau Cortado.

Abriu uma página no Word e escreveu:

Hans, de Floripa
Mané, de São Luís
Teó, de Cabo Verde
Zé do Carmo, de Brasília
Chico Rezende, de Uberaba

Abud, de Guaiçara
Ferreirinha, do Recife

Aproveitou que estava no Word e foi para a sua agenda de telefones. Precisava falar – já! – com o Chico[57], o Abud[58] e o Ferreirinha.[59]

PUTA QUE O PARIU!!!

O puta-que-o-pariu ainda ecoava dentro da cabeça dele quando ouviu, parecendo ser uma voz distante:

– Doutor Zé do Carmo, o piloto[60] vai pernoitar?

Ele estava longe, lá prus lado do interior paulista. Mas quem falava com ele era a dona Regina, com um suado balde de gelo nas mãos.

– Doutor Zé do Carmo...

– Ahn?..

– O piloto vai pernoitar? Tá bom de gelo assim?

– O piloto? Ah, o piloto! – pensa cinco segundos. – Vai, vai sim. Vou precisar dele amanhã cedo. Deixa o gelo aí.

Zé do Carmo sabia que o dia seria longo e a noite maldormida.

---

57 **Francisco Junqueira Rezende**, 51 anos, segundo ele mesmo – e alguns – o maior criador de gado nelore do Triângulo Mineiro. Residente em Uberaba, solteirão, três filhas por fora. Gordo. Gosta que as meninas batam nele com folhas de bananeira.

58 **Doutor José Carlos Abud**, o Zeca Abud, 42 anos, médico, criador de uma injeção que tira a vontade de fumar. A famosa "Clínica Dr. José Abud" fica numa pequena cidade do interior paulista: Guaiçara. Era gordo. Há cinco anos fez a cirurgia de estômago e perdeu oitenta quilos. Tem uma imensa gibiteca.

59 Na verdade, seu nome é **Almirdrovando dos Santos Severiano**. Muito magro, quase alcoólatra – se é que isso é possível –, dirige uma grande rede de ônibus municipais em Recife, Pernambuco. Tem 70 anos. Odeia banhos. É conhecido por Ferreirinha por causa do vinho branco do Porto, seco e gelado que ele toma durante todo o dia.

60 **Jayme Córdoba**, 42 anos, o Jayminho, com ipsilone, casado, mora em Brasília e há oito anos trabalha para Zé do Carmo. Na verdade, quem pilota é mesmo o Zé do Carmo, mas seu brevê foi suspenso depois que ele colocou três pontes de safena. Além do seu peso, evidentemente. Portanto, ele tem que viajar com um piloto ao lado. O Jayminho é quem faz os planos de vôo, acerta tudo nos aeroportos. Enfim, oficialmente, quem pilota é ele. Cubano, veio para o Brasil com 10 anos e morou no Rio de Janeiro até começar a trabalhar para Zé do Carmo. Brasileiro naturalizado.

“Eu já falei cem vezes. Sem passagem pela polícia não significa merda nenhuma!”

SALVO MONTALBANO, DE ANDREA CAMILLERI

CAPÍTULO 10

NÃO ERA A PRIMEIRA VEZ QUE A BEZERRINHA IA FAZER AQUILO

Recife, uma da tarde.

Ferreirinha bebia a sua tacinha de Porto, branco, seco, gelado, balouçando (como ele gostava de dizer) na sua velha e boa cadeira de balanço com a primeira bisneta no colo, todo mal-amanhado e feliz. Hoje ele não ia andar de ônibus pela cidade inteira de Recife como fazia todos os dias. Sua frota tem mais de trezentos ônibus urbanos. Ele não gosta de ficar no escritório. Fica atravessando a cidade toda de ônibus, vendo se o cobrador é simpático, o motorista cauteloso, se ouve alguma reclamação dos passageiros. Tudo isso anonimamente, como se fosse um usuário normal. Faz isso desde que começou seu império, há quase cinqüenta anos.

Quem vê o Ferreirinha beber e comer o dia inteiro não consegue imaginar como pode ser tão magro. Nem barriguinha tem. E nunca fez nem academia e muito menos tem *personal trainer*. Acha que tudo isso é coisa de viado.

Agora vemos ele ali com a bisneta, na varanda de sua casa em Porto de Galinhas, olhando o vai-e-vem das ondas, ouvindo forró bem alto. O mordomo traz algumas tiras de lagosta que ele vai dividindo com a Lara, de quase dois anos. Já o vinho Ferreirinha, Porto, branco, seco e gelado que veio junto, ele não dividia com ela. Ainda.

Neste exato momento, ele está pensando se se aposenta e deixa tudo nas mãos dos meninos. Ou não. Meninos, alguns beirando os 50. Aí sim, ele poderia apenas passear de ônibus sem se preocupar com as freadas ou o guincho ardido dos freios. Freqüentar mais a casa em Porto de Galinhas... Visitar a Preciosa,[61] amiga de fé e camarada.

O mordomo interrompe sua viagem, com o sem fio na mão.

– Para o senhor. De Petrópolis.

– Petrópolis? Oxente! Segura essa sapeca aqui.

* * *

Mindelo, uma hora.

O restaurante se chama Sodade e fica no alto da ilha. A vista é deslumbrante. Coincidentemente, comem lagostas. Cortadas ao meio, na brasa, com manteiga. Acompanham aspargos, alcaparras e arroz de açafrão. E vinho português, naturalmente. Estão apenas Fioravanti e Germano. Antes, Fiora e Darwin já haviam passado na delegacia, viram mais fotos, leram mais relatórios. Nada a acrescentar. O delegado tinha que resolver o caso de uma briga de casal do outro lado da ilha e Darwin estava com sono, depois de beber de manhã pela primeira vez na vida. Germano convidou Fioravanti.

Descobriram o gosto comum pela literatura policial e Machado de Assis. Foi uma parte da conversa. Depois falaram do assassinato de Teodoro da Mata. Nada a acrescentar ao que Fiora já sabia.

Agora sim, caem no assunto que interessava mesmo a Fiora.

– Como foi que a Gertrudes, a sua "empregada", caiu aqui na ilha?

Ele já sabia, mas era para entrar no tema nórdico.

– Demoraste, Fioravanti. Demoraste! Tu comeste aquele olho de olho nela.

---

[61] **Clotilde Assumpção**, a Clô, a Preciosa, velha proxeneta de 70 anos, que ainda mantém um bordelzinho – até que razoável – no Recife. Diz já ter iniciado quatro gerações de nordestinos.

Germano bate a sua enorme mão nas costas de Fiora.

– Em primeiro lugar, não é minha empregada. Ela é chefe de cozinha de um restaurante na Praia e de outro aqui. Veio para passar o *réveillon* aqui em Mindelo e deu uma mão lá em casa, na cozinha. Está hospedada no seu hotel, não sabia?

– Não...

– Não mesmo? Fiora, Fiora, esta cidade é pequena... Aqui tudo se sabe. Vocês entraram juntos ontem... Cambaleantes...

– Juro que eu pensei que era sua empregada e morasse na sua casa. Cheguei até mesmo a pensar... que... vocês dois.

Germano dá uma gargalhada estrondosa. Mas não assume nem nega.

– Tu ainda não me disse como ela veio parar aqui.

– Tu não perguntaste pra ela?

– Te confesso que falamos pouco.

Outra gargalhada.

– Vocês, brasileiros... Todos iguais!

Resumindo, contou o que Fiora já sabia. E mais:

– Na época ela estava saindo de um relacionamento amoroso meio complicado lá na corte, conversou com a rainha Margareth e ficou. Logo arrumou emprego. Passa duas semanas no hotel na Praia e duas em Mindelo. Ficou nossa amiga. Um amor de pessoa.

– Germano, acho que vou voltar ao seu país.

– Não precisava me dizer. Tu falas com os olhos, ó, brasileiro!

Fiora fica sem jeito.

– Ela está lá em casa agora. O olhão azul dela também está brilhando. Vocês, brasileiros!...

– Era muito amiga do Teodoro, né?

– Foi um choque para ela. Ela quem encontrou o corpo. Foi muito duro...

– Imagino, coitada.

* * *

Se eu fosse um autor de policiais ingleses, assim descreveria a casa do doutor Abud em Guaiçara, interior de São Paulo:

Estilo georgiano, com um pórtico sustentado por pilares e com uma balaustrada que corre ao longo do telhado raso. Uma casa grande, branca, de janelas de proporções perfeitas, as colunas caneladas. Em nichos dos dois lados da porta da frente, havia vasos de pedra trabalhada com hera e samambaia. Se fosse de cascalho ficaria melhor, mas a entrada de carros era pavimentada. As barricas e gamelas que enchiam o caminho continham loureiros e ciprestes amarelos, brincos-de-princesa vermelhos em flor, arbustos laranja e creme, pelargônios (cujas sementes foram enviadas da África pelo Teodoro da Mata) cor-de-rosa. Em contraste, os canteiros estavam nus, terra revolvida com um pouco de mato.

Pois a casa ficava bem no centro da cidadezinha com menos de 10 mil habitantes. Seu mais ilustre morador era o dono daquela casa, que ficou rico com a sua invenção, a injeção para parar de fumar. Foi até no *Programa do Jô*. Mas hoje não era dia de dar injeções. Hoje era o último dia do ano e as duas filhas[62] tinham vindo de São Paulo para a passagem do ano.

Era com as duas gêmeas que ele conversava na varanda. Estava apenas de bermuda – perto de quarenta graus – com as pelancas que antes cobriam mais de oitenta quilos perdidos na operação de estômago, dependuradas por todo o seu corpo. As meninas ficavam até com vergonha de quem passasse na praça e olhasse. Realmente era uma figura pra lá de bizarra. E era sobre isto que estavam conversando. O doutor Abud era viúvo há mais de dez anos.

– Pelo menos coloca uma camiseta, pai.

---

[62] **Maria Lúcia** e **Maria Regina Abud** têm 20 anos e estudam arquitetura na Escola da Cidade, em São Paulo. São morenas, mouras, bonitas, inteligentes e gente boa. Foram as duas que seguraram a barra do pai quando a mãe morreu, mais do que ele segurando as delas. Um trio que se gosta. As duas têm um mesmo namorado. Só ele quem não sabe.

– Vocês não vão começar de novo, vão? Mas será o benedito que eu não posso ficar na varanda da minha casa em paz nem no último dia do ano?

– Não me venha com dramas, doutor Abud! Você sabe que está um horror isso aí.

– Olha os peitos. Vão quase até o umbigo! Deve ter uns vinte quilos só de pele por aí.

– No mínimo! Vou marcar a cirurgia com o doutor Bigoshi.[63]

– Meninas, vão ver se os quibes e as esfirras estão no ponto. E vamos começar a beber que hoje é dia de festa! E deixem os meus peitinhos em paz.

Maria Lúcia entra. Toca o telefone. Ela volta com o aparelho.

– De Petrópolis.

– Petrópolis?

* * *

Não era a primeira vez que a bezerrinha[64] iria fazer aquilo.

Ela vinha andando calmamente pelo pasto na direção da camionete do Chico Rezende, em Uberaba, Minas Gerais. Cabeça baixa, como quem não quer nada. Mas ela sabia o que ia encontrar pela frente. Na caçamba da camionete, uma garota[65] com não mais de vinte anos, estava nua com as pernas abertas, a tampa traseira arriada. Chico, gordo como o maior de um dos seus milhares de

---

[63] **Doutor Mário Oshi Bigoshi**, 26 anos, o médico que opera de macacão. Craque em sobra de peles. Gosta de tirar casquinhas de feridas. Nele.

[64] **Marilyn**, 1 ano. Sua mãe é uma das melhores doadoras de embrião mocho. Traz em seu *pedigree* o sangue do produtor de fêmeas Remington 784/2. Seu pai é considerado um dos cinco melhores touros nelores nascidos em Minas. É filho de Karu e herdou as características da linha genética de seu pai: carcaça, muito peso, habilidade materna, ótimos aprumos e alto desempenho.

[65] Ela dizia que seu nome era **Kelly**. Mas tinha cara de Regina Cristina. Jovem garota de programa. Umas das muitas que Chico Rezende mandava buscar no Rio de Janeiro com o seu jatinho.

bois nelore, passava mel na região sexual da garota que esperava ansiosa. Assim como Marilyn, Kelly também já havia feito aquilo. Ganhava para isso. E chegava mesmo a gozar pra valer enquanto a inocente bezerrinha a lambia com sua língua feito uma lixa. Chico ficava olhando, suando, se masturbando mentalmente, sem as mãos, porque tinha muita dificuldade em ver e segurar seu pau por causa da imensa barriga. Há alguns anos não conseguia segurar seu sexo. E ali, no sol forte daquele último dia do ano, Chico Rezende gozou junto com a garota. Arfando, suado, exausto, olhava pra Marilyn:

Será que ela também gozou?

Toca o celular dele. Insistentemente.

* * *

Doutor Germano Almeida, depois dos vinhos, intelectualizava:

– O caráter da vítima sempre tem alguma coisa a ver com o seu assassinato. A cabeça honesta e inocente da Desdêmona foi a culpada pela sua morte. Uma mulher mais desconfiada teria percebido as maquinações do Iago e resolvido tudo muito antes. As impurezas de Marat levaram ele diretamente para a sua morte na banheira. Mercúcio foi apunhalado por causa do temperamento dele. E por aí vai.

Cada vez mais, Fioravanti admirava a cultura daquele advogado, escritor e ex-deputado lá no que ele achava ser o fim do mundo.

– E o que tu quer me dizer com isso?

– Simples: se tu acha que o seu *serial killer* tem algum problema com os maçons, tu deve primeiro conhecer a maçonaria, conhecer o caráter dos maçons. Pense nisso – Fiora fica a pensar, como diria um autêntico cabo-verdiano. – E, antes que me esqueça, vamos todos passar o *réveillon* lá no Calhau na casa do secretário da Cultura. Te pego no hotel às dez da noite. Fique feliz: a tua dinamarquesa vai.

– O caráter da vítima... Preciso levar alguma bebida? Um vinho, umas cervejas?

– Leve um olho azul de peixe. E não deixe que ninguém o coma antes de ti.

– O que é Calhau?

– Umas das mais bonitas praias daqui. Toda de pedras.

* * *

A Denise, secretária do Fioravanti é demais. Último dia do ano e olha ela no telefone com o Fiora, de tarde. Para sorte de todo mundo, tinha acontecido um crime estranho em São Paulo e a imprensa parecia ter esquecido um pouco o nosso *serial killer*.

E Denise deu mais informações sobre a maçonaria para o Fiora.

– E tem mais! Tem um doido de Brasília, ligando de Petrópolis, querendo o teu celular de qualquer jeito. Diz que ele pode ser a quarta vítima.

– Sempre aparecem uns dois ou três assim, né, Denise? Desta vez até que demorou. Ele deu alguma explicação pra isso?

– Disse que só fala contigo.

– Mais um doido. Deixa isso pra lá.

– Já deixei. Conheço esse tipo de gente. O nome dele é Zé do Carmo, imagina.

– É maçom?

– Claro que eu perguntei. Não, não é.

– Ok. Bom *réveillon*, Denise. O Darwin tá mandando um beijo.

– Dois beijos, então. Bom *réveillon* aí.

Desligam. Fiora para Darwin:

– Um daqueles loucos dizendo que pode ser a próxima vítima. Esse pessoal vê muito seriado americano na TV. E chamado Zé do Carmo. Só que não é maçom. Por falar em maçom, Darwin, dá uma ligada hoje para o Maranhão e veja como o Massami está se saindo por lá. Mande abraços ao genro.

Darwin fica olhando para Fiora:

– Mas é gordo, pelo menos?

– Quem?

– O cara, esse aí, que tu tava falando com a Denise, que não é maçom, é gordo, pelo menos?

Fiora abrindo uma latinha de cerveja da fábrica do Teó:

– Será?

> “Um homem pode barrar a entrada do
> absurdo em sua biblioteca da razão,
> mas não na arena de seus impulsos.”
>
> Nero Wolfe, de Rex Stout

CAPÍTULO 11

SÓ SEI QUE OS QUATRO ESTÃO MARCADOS PARA MORRER

Eram nove horas da noite no Brasil. Em Cabo Verde, meia-noite. Ali, na praia do Calhau, em Mindelo, na casa do ministro da Cultura,[66] as maiores autoridades da cidade comemoravam o novo ano.

Para chegar naquela pequena localidade no outro lado da ilha de São Vicente, junto à Ponta do Calhau, foi necessário seguir a estrada que atravessa a ilha entre dois vulcões extintos e ao lado de uma cratera bem conservada. A lua estava cheia e a noite muito clara. A pequena viagem parecia, aos estrangeiros Fioravanti e Darwin, um passeio pela superfície da Lua. Fiora estava se sentido um Armstrong, ao lado da sua Rainha da Dinamarca, no banco de trás da Mercedes do doutor Germano.

Depois, quando deu a meia-noite, fogos como no Brasil. Fioravanti e Gertrudes não esconderam de ninguém o longo beijo na boca. Darwin mordia e queimava a língua numa sardinha assada na churrasqueira. Cesária Évora cantava, sem acompanhamento, a *Ave Maria* de Gounod.

– Aqui já é meia-noite, Valentim! Eu sei, eu sei que aí são nove horas. É que a Terra é redonda, Valentim! Olha, peça para a Fabiana te explicar isso... Estou sentado numa enorme pedra preta

---

[66] **Jorge Leão**, um velhinho simpático, 75 anos, já havia sido embaixador no Brasil no governo FHC. Tinha uma bela frase sobre a ditadura brasileira: "O azar do Brasil, naquela época, foi que o Jango era cunhado do Brizola".

e a onda bate nela e respinga água salgada em mim. Um dia vou te trazer aqui. Feliz ano-novo, filhão! O Darwin tá legal. Está comendo a décima sardinha. Ele quer falar com a Fabiana, ela está aí por perto? Um beijão, filho. Depois de amanhã eu estou aí. Tchau! Beijão no Tomás! Te amo!

Fioravanti passou o celular para o Darwin e saiu caminhando com o braço direito no ombro da dinamarquesa.

– Quanto anos ele *tinha*?

– Tem. Cinco.

– Tu *saber* que o meu português é *mala*. E a mãe dele?

– Morreu... Sou viúvo.

– *Desculpar*.

– Imagina. E tu, já foi casada?

– *Cuase*.

Nenhum dos dois estava muito a fim de continuar aquela conversa, agora que chegaram atrás de outra pedra preta. Foi ali mesmo que os dois fizeram sexo pela primeira vez naquele ano. Ela gritava – e depois não traduzia: *køn! køn! køn!*

O ano prometia. Fioravanti se sentou. Mas sua cabeça logo voltou para o sete de paus.

– Tudo bem? *Ficar* distante...

– Estou pensando em quatro pessoas.

– Posso saber quem *era*?

– São! Nem eu sei. Só sei que os quatro estão marcados para morrer.

Gertrudes dá beijinhos no pescoço dele.

– Mas nem num dia como *estas*, com *este* lua maravilhosa, *esta* mar... tu não *conseguir* deixar de trabalhar?

– Na minha profissão não dá para desligar a cabeça, Gertrudes. Estou pensando nos quatro e no assassino. O cara é bom! Inteligência acima da média. Mas os criminosos geralmente erram. É o que diz a minha experiência. Estou a esperar, como dizem por cá. Ele tem que errar!

– *Nenhum* pista, nada?

– Nada vezes nada. Eu tou é viajando com esse assassino na cabeça...

– Estás a viajar? Como?

Ela continuou a mordiscar o pescoço dele. Ela queria mais, Fiora pensou. Mas, além da cabeça dele estar distante, há alguns anos ele não conseguia mais dar a segunda sem um período de pelo menos duas horas de intervalo. Fora um banho. Como explicar isso para uma dinamarquesa de um metro e oitenta, maravilhosamente nua atrás daquelas pedras pretas, numa ilha perdida no meio do Atlântico?

– Vamos ver os fogos!

E começou a procurar a sua cueca.

* * *

Ninguém entendeu, em Uberaba, o cancelamento do *réveillon* na Fazenda Estiva, de propriedade do solteirão, gordo e Rei do Nelore, Chico Junqueira Rezende. A festa de fim de ano lá era tão tradicional quanto a Festa da Marcinha, durante a Exposição de Gado Zebu, em maio de todo ano.

Duas funcionárias[67] do fazendeiro passaram o último dia do ano ao telefone, cancelando tudo. Chico Rezende dispensou até as cinco garotas de programa que haviam vindo do Rio de Janeiro. Ele queria sossego. Mas não conseguiria. Era impossível tirar da cabeça o telefonema do Zé do Carmo. Podia ser paranóia dos dois. Mas o mais provável é que não fosse.

Logo depois do telefonema, ao meio-dia, Chico Rezende ligou para o ministro da Agricultura[68] em Brasília. Queria falar com alguém da Polícia Federal. Precisava saber como andava a

---

[67] **Joaninha** e **Claudete**, também comidas dele. 30 e 28 anos.

[68] Ele mesmo.

caça ao *serial killer* que estava em ação. Mas não achou ninguém na capital federal. Era o último dia do ano e ficava impossível achar algum político por lá ou onde quer que fosse. Suava seu corpo grande.

Quem tem cu, tem medo – chegou a pensar alto. Agora estava na varanda da Estiva tomando caipirinha com seu segurança.[69]

– Pode fazer as malas porque tu vai comigo para Jaguariúna.

– Sim, senhor.

– Vamos sair cedinho. Já combinei com o Osório.[70]

– Positivo.

– Manda fazer mais caipirinha.

– Comigo mesmo.

* * *

A banda parou de tocar *Saudades de Matão* no coreto da praça Toledo Piza em Guaiçara exatamente à meia-noite, quando estouraram os rojões instalados e pagos pela prefeitura local. Todo mundo se abraçava na praça. Todo mundo conhecia todo mundo na pequena cidade.

Maria Lúcia e Maria Regina Abud, as gêmeas, notaram que seu pai estava de cara fechada naquele *réveillon*.

– Acho que nós duas pegamos pesado com a história da plástica nas pelancas, Rê.

– Sei não, Lu. Ele ficou assim depois do tal telefonema de Petrópolis. E nem quis dizer quem era.

– E já tá de pilequinho, olha lá.

---

[69] **Sergio Capella**, o Sérgio Mato-Grosso, 32 anos, segurança da Fazenda Estiva. Um negão atarracado, que pouco falava. Dizem que tinha algumas mortes nas costas. Mas ele mudava de assunto. Vive com o dedo no nariz.

[70] **Osório Corrêa**, 35 anos, piloto do jatinho do fazendeiro. Solteiro e companheiro das aventuras sexuais do patrão com as garotas de programa. Carioca com sotaque, não queria outra vida.

Todos estavam de pilequinho naquela praça. Cada um por seu motivo. A maioria pela passagem de mais um ano. Não era o caso do doutor Abud. Neste ano ele não convidaria as principais autoridades para a sua varanda. Foi caminhando sozinho com o passo de alguém que não quer que ninguém saiba que está bêbado. Mas estava, para preocupação das gêmeas. Elas o acompanhavam.

– Amanhã eu vou para Jaguariúna.

Ele adiantou o passo. As meninas se olharam.

– O que ele vai fazer em Jaguariúna, se já emagreceu os oitenta quilos?

– Será que ele vai fazer a plástica? Será?

– Tou achando isso tudo muito estranho pru meu gosto. A gente vem lá de São Paulo pra ficar com ele e ele viaja?

– Põe estranho nisso.

* * *

A família Severiano, no Recife, estava mais do que preocupada. O patriarca Ferreirinha – ou Almir, como era chamado em casa – havia sumido pouco antes da meia-noite. Ninguém poderia imaginar que ele estava dentro de um ônibus da sua propriedade, fazendo a linha entre dois distantes bairros, na cidade.

Pleno *réveillon* e os ônibus funcionando. Ficou com pena dos seus funcionários. Não muita, mas pensou no caso. No ano que vem daria um jeito de todo mundo folgar. Como ele nunca havia pensado naquilo? Aquelas pessoas deviam ter família... Foi quando ele percebeu que já passava da meia-noite. Cumprimentou o motorista[71] e o cobrador[72] e três gatos pingados que passavam a virada do ano no Corredor Leste-Oeste.

---

[71] **José do Patrocínio Alcântara da Silva**, 49 anos, casado, quatro filhos, um neto, na empresa há dezenove anos. Já jogou no Sport. É o que ele diz.

[72] **Luiz Roberto Carvalhaes**, o Betão, 26 anos, casado, uma filha. Na empresa há seis meses. Tem herpes.

Pegou o seu celular e ligou para Porto das Galinhas para tranqüilizar todo mundo, sem dar a menor explicação para o seu inesperado sumiço.

Dentro de nove horas estaria num vôo para São Paulo e, de lá, iria de táxi para Jaguariúna. Lá estaria seguro. Estaria?

Um rapaz[73] de uns trinta anos, aparentemente bêbado e molhado pela chuva fina que caía lá fora, entrou no ônibus. Com todo o ônibus vazio, sentou-se ao lado dele. E encarou.

Ferreirinha começou a suar frio. Seria ele, o *serial killer*?

O sujeito pergunta:

– Você não é o filho-da-puta do dono dessa merda dessa empresa?

Ferreirinha tenta se levantar imaginando o cara cortando o pau dele, mas o sujeito barra a passagem dele.

– É surdo, filho-da-puta? É surdo, filho-da-puta?

O motorista começa a parar o ônibus.

O bêbado pegou o Ferreirinha pelo pescoço. O motorista e o cobrador apartam com certa facilidade. Praticamente jogam o cara para fora do ônibus.

– Tu me despediu, filho-da-puta! E não me pagou porra nenhuma! Vou pôr fogo na sua empresa!!!

O motorista:

– O senhor está bem?

– Tudo bem, tudo bem. Foi só o susto.

O elemento estava dando porradas na lataria do ônibus. O motorista arranca. Ferreirinha para o cobrador:

– Ainda bem que não era ele.

O cobrador jamais saberá quem era o ele.

Lá fora, rojões. Como em todo *réveillon* que se preza, começa a chover forte.

---

[73] Um bêbado totalmente anônimo.

* * *

Zé do Carmo estava mais nervoso do que bêbado lá pela uma da manhã. Janete, sua mulher, já havia percebido isso há muito tempo.

– O que está acontecendo?

– Vou viajar amanhã cedo. Para Jaguariúna.

Janete não gostou, mexeu o gelo do uísque com o indicador.

– Não acredito. Venho lá de Brasília para ficar com você...

– Negócios, Janete!

– Negócios, em Jaguariúna?

– É.

Zé do Carmo saiu de perto dela e foi até o piloto que também estava cabisbaixo – sabe-se lá por que motivo – olhando a coleção de DVDs do patrão, num canto da sala.

– Tá com essa cara de bunda porque te prendi aqui em Petrópolis?

– Nada a ver, doutor. Problemas particulares... Nada a ver.

– Vou ficar um bom tempo em Jaguariúna. Você vai ter tempo para resolver os seus problemas em paz.

– *Gracias.*

* * *

No aeroporto de Lisboa, caminhando ao lado de Darwin para o saguão das esteiras, tremendo de frio, Fioravanti ainda curtia a sua ressaca, que era aliviada pela presença da dinamarquesa na sua cabeça e no seu corpo. Ainda sentia o cheiro dela na sua roupa e na sua pele.

Quase ao mesmo tempo os dois religam seus celulares.

Entre outros recados, havia uma mensagem de texto para o Darwin. Assustado, ele leu:

Feliz ano-novo, Valete de Espadas!!!

Assinado: *Sete de Paus!*

Sem dizer uma única palavra, mostrou para Fioravanti. Fiora leu e mostrou o seu celular:

Feliz ano-novo, Ás de Ouros!!!

Assinado: *Sete de Paus*

Para Darwin, a ligação era do código 031, Minas Gerais. Para Fiora, 041, Paraná. No *notebook* do Darwin, rapidamente descobriram – pelo código – que mandaram a mensagem de Belo Horizonte para o Darwin e de Curitiba, para o Fiora. Na mesmíssima hora. As duas ligações feitas de celular.

– O que significa isso, Fiora?

– Darwin, o cara, o Sete de Paus, temos que dar um nome para ele, é muito inteligente. Primeiro, matou dois irmãos para a polícia se concentrar na família. Seguir a pista errada. Agora o terceiro, em Cabo Verde, nos tira da família e nos joga na maçonaria. Serão os sete maçons? E eles serão dois, três?... Ou um, com celulares de várias cidades? Em segundo lugar, eles estão gozando com a nossa cara, Valete de Espadas!

– Caceta!

“Eu sei que a maioria dos homicídios
premeditados requer, além da dor, além
da humilhação, além da neurose, além
de tudo o que você imaginar, requer crueldade,
prazer no sofrimento, na súplica e na
agonia do outro, prazer em despedaçar.
É verdade que nem sempre dá para perceber
isso imediatamente numa pessoa, mas a gente
pelo menos sente que há algo errado com ela,
que ela está gerando alguma coisa a mais,
uma excrescência.”

DELEGADO JEAN-BAPTISTE ADAMSBERG, DE FRED VARGAS

CAPÍTULO 12

SOMOS DOIS CORNOS E VAMOS *MORIR* JUNTOS!!!

O Seneca já estava há vinte minutos a 13 mil pés – ou seja, a uns quatro quilômetros de altura – e Zé do Carmo e Jayminho não haviam trocado uma palavra sequer.

Zé do Carmo pensando no *serial killer* e o piloto nos seus "problemas particulares". Como Zé do Carmo estava muito nervoso e bebendo desde que havia acordado, era o Jayminho mesmo quem pilotava.

Zé do Carmo achou que, se conversassem, deixaria de pensar naquilo.

– Parece que o seu problema é mesmo grave, né, Jayminho?

Jayminho demora um pouco para responder.

– É, *és* grave...

– Se eu puder ajudar... Isso, se você estiver a fim de falar.

Um longo silêncio. Uns dois minutos. Zé do Carmo ficou na dele.

– *Soy* corno, seu Zé do Carmo...

Zé do Carmo se assustou.

– O que é isso? A Narinha?[74] Deixa disso, Jayminho. Imagina...

Mais silêncio. Estavam sobrevoando Juiz de Fora, no caminho entre o aeroporto Santos Dumont e Uberaba.

---

[74] **Nara Maria Silvestre Córdoba**, 30 anos, também carioca, muito bonita. Alta, magra, mas bem proporcionada. Professora de inglês num colégio particular em Brasília. Eles ainda não têm filhos. Rói unhas.

– Certeza... *Garantizado*!

– Fofoca, Jayminho.

– *Yo* vi!!! Com um aluno...

Zé do Carmo não sabia o que dizer.

– *Quiero morir*! *Quiero morir*!

Agora Zé do Carmo não sabia o que dizer e muito menos o que pensar. Só faltava o cara querer se matar logo agora, dando uma picada no avião até colidir com o solo.

– Viu? Você disse que viu?

– Conhece o A2 Motel, em Brasília?

– Claro. De nome... Perto da Candangolândia, né?

– *Eso mismo*. E *no pregunte* como *yo* consegui ver.

– Tudo bem.

Zé do Carmo resolveu mudar de assunto.

– Como está o tempo em Uberaba?

Jayminho, pela primeira vez, virou o rosto para o seu patrão. Suava. Da mesma maneira que Zé do Carmo.

– Bom. Se a gente chegar lá.

Zé do Carmo gelou da cabeça à ponta dos pés.

– Você não está pensando...

– *Estoy*!

Tempo.

– Vamos conversar com calma, Jayminho. Vai ver era uma moça parecida com a Narinha.

– Era ela. Até fotografei. *Quiere* ver? *Desnuda*!

– Imagina...

– *O mejor*, rever!!!

Jayminho aumentou o tom de voz na última frase. A imensa barriga de Zé do Carmo tremeu.

– *Después* dei umas porradas nela e ela se abriu toda. Contou tudo, de todos. De todos, está entendendo? Todos!!!

– Se abriu, é?..

Fudeu! – pensou Zé do Carmo.

* * *

Enquanto isso, no aeroporto de Uberaba, Chico Rezende, seu guarda-costas Sérgio Mato-Grosso e a Kelly (aquela da bezerrinha) que ele resolveu levar de última hora, aguardavam. *Estou precisando mesmo, estou com umas gordurinhas localizadas*, dissera ela.

Mato-Grosso sabia da história do *serial killer*. Kelly não. Mal sabia ela onde estava se metendo. Só pensava no departamento de estética do Spa Porto Feliz, em Jaguariúna.

* * *

Na Rodovia Castelo Branco, o doutor Abud dirigia o carro das meninas. Ficaria em Jaguariúna e elas seguiriam para São Paulo. Era caminho. Abud mentira para as duas Marias. Mentiu que faria a plástica de pele. Elas ficaram contentes, sem desconfiar que o pai talvez estivesse se internando para não ser capado e assassinado.

As meninas falavam do curso de arquitetura e ele fingia ouvir. Mas estava longe dali. Teria o Zé do Carmo conseguido falar com o cara da Polícia Federal?

* * *

– Melhor descer em Ribeirão Preto e conversar com calma. Acho que não é o momento, Jayminho. Tomar um chopinho no Pinguim...

– Desde quando, seu *hijo* da puta??? E pára de me chamar de Jayminho. Me chama de Córdoba!!!

Meu Deus, o que eu digo?

– Na boa, Córdoba...

– *Señor* Córdoba!

– Na boa, *señor* Córdoba. Chama o rádio de Ribeirão, chama...

– Chamo o *carajo*! Há quanto *tiempo*?

– Deixa isso pra lá, *señor* Córdoba.

– Quanto *tiempo, carajo*???

– Três anos...

– Pois eu como a sua há quatro! A dona Janete! Dona... Ela não peida quando goza? Corno! Peida ou não peida???

Um fiapo de voz saiu da boca do Zé do Carmo:

– Peida...

Zé do Carmo começou a passar mal. Enjôo de estômago dos brabos. Por segurança pegou o saquinho de vômito.

– A Janete? A minha Janete?

– De *nosotros*, né? Somos dois cornos e vamos *morir* juntos!!!

Jayminho, na verdade, no momento, muito mais para senhor Córdoba, empurrou o manche e o avião picou a mais de 350 quilômetros por hora para desespero do Zé do Carmo.

– E não puxe o seu manche porque *yo no quiero* cabrar em pirueta. Quero ir direto, na certeza.

Zé do Carmo não tirava o olho do altímetro. Aquilo estava girando no sentido anti-horário numa velocidade que ele nunca havia visto e nem sentido. Ficou com medo de desmaiar. Mas só vomitou.

1800 pés. 1600. 1400...

* * *

No aeroporto Hercílio Luz, em Florianópolis, Fabiana, Tomás e Valentim esperavam a dupla Ás de Ouros e Valete de Espadas.

– Aposto que o meu pai não trouxe presente...

Mas trouxe. Foi uma festa no aeroporto. E uma troca de filhos. O avião de Fabiana partiria dentro de duas horas para Curitiba. Ela ia para o Spa Lapinha, no Paraná. Subiram para o bar no primeiro andar.

Tóim!

Foi lá, com Fabiana falando em spa que, finalmente, Fioravanti teve a luz:

– Spa!!! Os três são gordos!!! Claro. Spa! Darwin, me localize a Denise.

Darwin, discando:

– Claro, spa!

– Como é mesmo o nome do cara? Vai memória, vai.

– Zé do Carmo!

– Isso, Darwin.

– Denise? Darwin!

* * *

Quando estava a menos de trezentos metros do solo, o *señor* Córdoba arremeteu. Foi quando Zé do Carmo aliviou-se. Nos dois sentidos. Cagou-se todo. Agora o piloto guinava para a direita e depois para a esquerda, subindo também, até atingir a uma altura tranqüila. Esticou o braço direito até o banco de trás e pegou a sua maletinha 007. Abriu. Tirou um envelope pardo. Pegou umas folhas impressas de dentro.

– *Tienes lapiseira*? Caneta, *carajo*!

Jayminho passa as folhas para ele.

– Assine as cinco vias.

Zé do Carmo lê. Era uma doação do Seneca para o nome do Jayminho.

– Assino, assino...

– Cuidado pra não sujar o papel com merda, *cabrón*!

– Merda, sabe quanto vale isso aqui?

– Duzentos mil dólares... Mas é uma doação. Não vou me preocupar com o Imposto de Renda...

* * *

Ferreirinha desembarcou em São Paulo e pegou um táxi para Jaguariúna.

* * *

Em menos de uma hora. Denise já sabia que existiam 142 spas no Brasil. Mandou um *e-mail* para todos eles dando o nome dos três assassinados. Queria saber as datas em que os três poderiam ter estado juntos em um spa nos últimos dez anos. Ao mesmo tempo, tentava localizar o tal do Zé do Carmo, mas o celular estava fora do ar. Literalmente. Zé do Carmo estava aterrisando em Uberaba. Enquanto isso, Fioravanti foi até a sala do doutor Sion.[75]

A sala do doutor Sion parecia mais um Museu Da Vinci. Pelas paredes, molduras com os desenhos feitos pela artista dos músculos do corpo humano, manuscritos de trás pra frente, roldanas e outras invenções. Tudo isso misturado com um certo cheiro de formol.

O doutor Sion analisou demoradamente os laudos das mortes dos irmãos Schneider e do cabo-verdiano. Olhou as fotos, as radiografias.

– O que *querr* saber?

– Quero saber, Sion, se o assassino cortou o pau e matou ou se matou e depois cortou.

– Faz *diferrrença* isso?

– Muita. Quero saber a força do elemento. Se ele cortou para depois matar, deve ter dominado as vítimas. Ou seja, ele é muito forte.

O doutor Sion volta a olhar as fotos.

– *Corrrtou* antes. *Cerrrteza*!

– Com as vítimas vivas? – surpreendeu-se Fiora.

– *Prrimeiro* uma pancada na nuca. Veja isso. Depois, *corrtar*, depois *matarr*. O sujeito *acerrtou* os *trrês* por *trrás*. Cuidado, é trraiçoeiro! *D'acord*?

– Dacór!

---

[75] O **doutor Charles Sion**, é francês e mora na Ilha há 25 anos, desde que se apaixonou por uma mulata com quem casou e tem um filho manezinho. No momento, beira os 60. Precisou se naturalizar para ingressar na Polícia Federal como médico-legista. Craque.

* * *

Zé do Carmo, com sua mala, desceu do avião, todo vomitado e cagado e foi caminhando pela pista, onde Jayminho o largou e foi abastecer para seguir para Brasília.

Zé do Carmo, mais corno do que nunca, olhou pela última vez para o seu Seneca.

Quando Chico Rezende se aproximava para receber o companheiro de spa, recebeu um sinal para ficar à distância.

– O que aconteceu?

– Depois explico. Preciso de um banho. E o meu piloto não vai para Jaguariúna. Recebeu um rádio da sua mulher, que sofreu um acidente. Nada muito grave, mas ele ficou muito preocupado. Podemos ir no seu jatinho?

– Puta cheiro de merda! – disse a Kelly virando o rosto, com cara de nojo.

Toca o celular do Zé do Carmo. Era a Denise.

Marcaram um encontro de todos no spa com o Fioravanti.

* * *

– Tomás e Valentim: vamos viajar de avião!

– Oba!!!

“O homem é um animal racional só em parte.”

Pepe Carvalho, de Manuel Vásquez Montalbán

CAPÍTULO 13

PREFÁCIO

Aquele dia 2 de janeiro mudaria um pouco os meus planos literários e de vida. Depois de tomar todos os antidepressivos que um homem normal toma ao acordar, beber o café com açúcar mascavo, desci para a praia aqui na frente da minha casa. Queria caminhar um pouco, apesar de a prainha estar infestada de turistas, como convém nesta época do ano.

Depois voltaria e continuaria o meu novo livro, um policial que, por enquanto, se chamava *A chave roubada*. Meu primeiro policial, daqueles com álibi e tudo. É um trabalho difícil, cada palavra tem que ser muito estudada para não entregar os mistérios. Mas eu estava me divertindo muito.

Eram dez da manhã e eu caminhava devagar, chutando as ondinhas, quando um garotinho sardento chegou à minha frente:

– É verdade que foi tu que escreveu *O homem que soltava pum?*

– Como é que você sabe disso?

Ele apontou um sujeito na praia. O sujeito tinha um rabo-de-cavalo com o cabelo branco e uma grande entrada na testa. Ao seu lado estava uma loirinha bem mais jovem do que ele, que devia ser a namorada. Cá entre nós, linda e um charme bem natural, espontâneo. Seria a mãe do menino?

– Meu pai que disse. Foi tu?

– Foi. Gostou do livro?

– Meu pai que lê pra mim. Só no ano que vem que eu vou aprender a ler. Tou adorando, quando ele lê. (Cheio de orgulho) Meu pai é policial.

– Ah, vocês que moram ali!

– É.

O pai chega.

– Muito prazer, Ugo Fioravanti. Sou o pai do Valentim.

– O prazer é meu. Você é filho do seu Ugo, né?

– Conheceu o papai?

– Todo mundo aqui no pedaço gostava dele. Sempre dava peixe pra gente. Incrível este nosso encontro, porque eu estava mesmo a fim de te conhecer. Estou escrevendo um policial, queria conhecer o prédio da Polícia Federal, fazer uma entrevista com você.

– Claro, claro. Estou viajando hoje no final da tarde, mas, assim que voltar... Gosta de romances policiais?

– Tarado! Mas é a primeira vez que me atrevo a escrever um.

– Um dos modos mais agradáveis de passar uma tarde é ter Sherlock Holmes como companhia. – Eu, que já havia lido aquilo em algum lugar, sorri. – Vamos fazer o seguinte. Vamos até ali em casa, vou fazer mais caipirinha e tu dá uma olhada na minha biblioteca. É um prazer, cara. Prazer mesmo! Sabia que tu estava pelo pedaço. Mora ali em cima, né? Já tinha te visto caminhando aqui na nossa prainha. Porra, como tem paraguaio este ano, notou? – Para a garota: – Larissa, dá uma olhada no Valentim, que eu vou fazer mais caipirinhas.

Larissa, era este o nome dela. Ela fez um sinal de positivo para o Fioravanti, sorriu para mim e se aproximou do Valentim, que agora fazia um montinho de areia perto das ondas.

Jamais poderia imaginar que aquela antiga garagem pudesse ter virado uma casa tão agradável e bem decorada. A sala tinha estantes de livros dos dois lados. Antes de entrar na cozinha, Fiora (eu já estava íntimo dele) me disse que a estante do lado direito era só de policiais. Devia ter mais de mil livros ali, bem organizados, por autores. Alguns, confesso, eu nunca havia ouvido falar. Andréa Camilleri, por exemplo. Peguei e logo vi que não era mulher e sim um italiano que começou a escrever policiais com mais de sessenta anos, depois de passar boa parte da vida adaptando as histórias do inspetor Maigret, do Georges Simenon, para a televisão italiana.

Entrou na sala a dona Célia com uma bandeja de ostras frescas boiando em cima de muito gelo e triângulos de limão.

– Mas é um banquete!

– Como diz o doutor Fiora, são *afrosidíacas* – grita para a cozinha. – Viu, doutor, dessa vez acertei o nome...

– Muito obrigado...

– Dona Célia, a seu dispor.

Ela sai, volta Fiora. Eu já com a boca cheia, olhando os livros.

– Este é craque. Conhece? Tem um inspetor genial, chamado Montalbano, uma homenagem ao barcelonês Manuel Vásquez Montalbán.

– O Montalbán eu conheço. Muito bom. Morreu outro dia...

– Esse é melhor. O Camilleri é melhor. Vai por mim.

Me ofereceu a caipirinha, sentou-se e me apontou a outra poltrona. Antes, colocou o *1*, dos Beatles, e acendeu um Camel. O mesmo cigarro que eu fumo. Também acendi um que trazia na bermuda.

E foi assim que começamos a pegar amizade. O sujeito sabia tudo da literatura policial. Tinha teorias, análises. Veja o que ele me falou de *O nome da rosa*, do Umberto Eco:

– *O nome da rosa*, do Umberto Eco, por exemplo, é um romance policial. E com a intenção descarada, desde as primeiras linhas, de homenagear, mais do que parodiar, o Conan Doyle. Lembra do livro ou do filme? O seu detetive é um frade franciscano inglês que atende pelo nome de William de Baskerville. Todo cara que manja literatura policial se lembra logo de *O cão dos Baskerville*, né? O companheiro e auxiliar do franciscano, que é quem mais tarde escreve aquela história, é um noviço adolescente, e a semelhança com o doutor Watson, começa pelo nome, Adso. E quando fizeram o filme, quem colocaram para fazer o detetive? Nada mais, nada menos que o velho e sempre bom Sean Connery!

– Incrível! Jamais faria essa associação.

– Na verdade, quem fez foi o Mário Pontes.[76] Mas e o seu policial, o que é? Me conta aí.

– Vou contar rapidinho. Muito boa a caipirinha.

– Estou fazendo mais. Levar para a Larissa. Vem aqui pra cozinha. Diga lá.

Enquanto eu falava do meu policial para ele, tocou o celular. Ele ouviu, ouviu, ouviu e agradeceu, desligou e digitou um número.

– Darwin? Fiora. Seguinte: aqueles celulares de Curitiba e Belo Horizonte são pré-pagos. Não dá para identificar os donos. Mas foram comprados entre os dias das mortes dos dois irmãos Schneider. Nas lojas dos dois aeroportos. Ou seja: o assassino, indo de Floripa para São Luís, fez escalas nas duas cidades – ouve um pouco. – Exato. Ok. Te pegamos aí daqui a pouco. Ah, o Valentim também tá contentíssimo. Outro. Até.

Pensei em perguntar sobre o telefonema, mas ele logo engatou noutro assunto, como se fosse de propósito.

Ficamos umas duas horas juntos, fuçando na biblioteca dele e bebendo. E o cara era generoso. Já havia separado uns dez livros para eu levar. Tinha uma inglesa que eu também não conhecia: Ruth Rendell. Me deu para ler *Um assassino entre nós*.

Conversa vai, conversa vem, começou a falar sobre o assassinato do professor Hans Schneider que ele estava investigando e era notícia em todos os jornais. Aquilo foi me envolvendo. Até que ele disse:

– Vamos pru spa conosco.

---

[76] **Mário Pontes**, jornalista e escritor, escreveu um livro incrível sobre a literatura policial. O título é genial: *Elementares*.

Me pegou de surpresa. Será que o cara era *gay*? Não, absolutamente, não! Gostou de mim mesmo. Como eu dele. Fiquei pensando no que tinha pra fazer nos próximos dez dias. Além de continuar *A chave*, nada que eu não pudesse resolver pela Internet.

– Será? – mais cinco segundos pensando na semana que teria pela frente em Floripa. – Que horas que é o vôo?

– Cinco horas, pela Gol. Entra ali na Internet e faz a reserva.

Por que não?

– Tenho que fazer isso lá de casa. Cartão de crédito etecétera e tal.

– Estamos saindo daqui às três e meia. Tem todo o tempo do mundo. Que horas são? Meio-dia ainda.

– Maravilha.

– Já foi a algum spa?

– Olha o meu corpo. Nunca.

– Nem eu. Deve ser divertido passar uns dias no meio de gordinhos e gordinhas. E...

Toca o telefone. Ele atende:

– Sim, é ele. Gertrudes? Não acredito, minha rainha!!! Ó, meu Gud!!!

Ele fez um sinal para mim, saiu com o celular para a praia e eu fiquei acabando a terceira caipirinha.

Entram Valentim e Larissa.

– Essa é a Larissa, ô Escritor – apresentou-me o valente Valentim. – Vou viajar de avião, sabia?

A Larissa abriu um sorriso largo. Que dentes!

– É um prazer mesmo. Te adoro.

Oba!

– O que já leu?

– Tudo! Podes perguntar.

Na verdade, eu já ia saindo, mas precisava saber quem era ela. Teste:

– Muito legal o seu filho.

Valentim riu.

– Tu, minha mãe... Que engraçado.

– Não? – me fiz de bobo.

– Eu cuido dele de vez em quando. Faço letras na Federal e um bico aqui de *baby-sitter*. Pra pagar a gasolina.

Então deve ser namorada do Fioravanti, pensei.

– Ah, legal.

Outra isca:

– Também vai para o spa?

– Vou.

Não tinha mais nada para perguntar.

– Na verdade, estava de saída. Valentim, também vou viajar de avião. Vou com vocês.

– Legal – disse o Valentim.

– Nem acredito que vou poder conversar bastante contigo. Ninguém vai acreditar na faculdade. Outro dia estava ali com o Valentim e tu estava caminhando. Pensei em puxar um papinho, mas morro de vergonha.

– Sou normal. As pessoas pensam que os escritores são seres extraterrestres... – Larissa deu outro sorriso gostoso. E perguntou:

– Normal? Tu conhece alguma pessoa normal? Normal-normal?

Tinha cabeça a moça.

– Digamos que eu seja normal-lexotan.

Ela riu. Valentim, que estava brincando com um boneco que o pai havia trazido de Mindelo:

– O que é normal-lexo não sei o quê?

Larissa respondeu:

– Um normal-legal.

Cheguei mais perto dela e confirmei:

– Você tem meio centímetro de pêlos brancos na sua sobrancelha esquerda. Eu tinha uma amiga que também tinha isso. Dá um charme danado.

– Tinha? Morreu?

– Suicidou-se. Era poeta. O nome dela era Ana C.

– Ana Cristina César! Uma pena...

– Bem informada, você.

– Faço letras, esqueceste?

Entra Fioravanti, feliz.

– Ah, já conheceu a Larissa?

Sorrimos.

Fioravanti estava exultante:

– A excursão para o spa está aumentando. Valentim, convidei uma amiga minha lá de Cabo Verde.

Então a Larissa não é namorada dele.

– Pretinha? – perguntou o garoto sorrindo.

– Não, loiríssima. O nome dela é Gertrudes.

– Credo, que nome feio!

E deu um urro.

– O que foi isso, Valentim?

– Nada, estou feliz, ué...

Gostei da Larissa. Gostei de todos. E voltei para a minha casa para me arrumar. Nada como uma boa caminhada pela praia pra fazer a cabeça.

* * *

Cheguei em casa, tomei um banho todo feliz. Adoro viagens não programadas, pessoas não esperadas.

Dei uns cinco telefonemas, comprei a passagem – só de ida –, peguei uma *pizza* da Sadia, meti no forno e acendi unzinho enquanto esperava. Será que pode fumar no spa, caceta? Escondido, deve poder.

Comi, voltei para o escritório, entrei no *site* do Spa Médico Porto Feliz. O que vi me agradou muito. Principalmente as camas de casal para casais de gordos. Imensas! Duas piscinas aquecidas, sauna, e coisa e tal. Fiz a reserva.

Coloquei dois Camilleri e dois Rendell na bagagem. Copiei *A chave* no *pen drive* e percebi que estava pronto. Ah, ligar para a dona Marivete, a diarista. E, no caminho, deixar as roupas na lavanderia.

Seja o que Deus quiser.

"Desconfio de homens calados. Em geral, escolhem a hora errada para falar e dizem o que não devem. Falar é uma coisa que não se pode fazer de forma criteriosa, sem que a pessoa a pratique."

Sam Spade, de Dashiell Hammett

CAPÍTULO 14

ÍAMOS TIRAR SANGUE

Zé do Carmo (sem o *señor* Córdoba e mais ou menos limpo), junto com Chico Rezende, a Kelly e o seu segurança, não foram os primeiros a chegar. Foram os últimos. O doutor Abud já estava lá, conversando com o Pereira,[77] um dos donos do Spa Porto Feliz, em Jaguariúna. E o Ferreirinha dormia no quarto 5, de pilequinho.

O que interessa é que, dez da noite, no quarto do Zé do Carmo, estavam os quatro amigos restantes da Venerável Grã-Ordem de São Fuldêncio do Pau Cortado. Com eles, o Pereira.

Logo depois, chegaríamos nós seis, vindos da Ilha, e nos reuniríamos a eles.

* * *

Coube a mim sentar ao lado da Larissa no vôo Floripa–Congonhas. Isso porque o Darwin ia com o Tomás mais à frente e o Fioravanti com o Valentim, lá atrás. Os dois meninos viajavam pela primeira vez de avião e ficaram nas janelas. Pais e filhos matavam as saudades. Tomás queria saber do Darwin se ele tinha visto algum elefante na África, e Valentim, leões.

---

[77] **Doutor Isael Pereira**, um dos dois donos do Spa. 51 anos, totalmente careca, gordinho e baixinho. Solteirão, tem um ligeiro sotaque *gay*. Mas parece que não é, não. Parece. Relógio, pulseira e colar. Tudo de ouro.

Depois do segundo uísque, eu já estava perdidamente apaixonado pela Larissa, apesar de considerar que tenho 20 anos a mais do que ela. 41 a 21. Era esperta a menina. Rápida. E, no momento, sem namorado, consegui descobrir. Eu já estava pensando em bobagens.

* * *

Fioravanti lia para Valentim:

– Ele não se preocupava com os seus puns. Está certo que uma vez (mas já faz muito tempo) ele procurou um médico. Mas não adiantou nada. Não tinha solução. João do Pum sabia que mesmo depois de morto, já dentro do caixão, com a família e os amigos todos em volta, ele ainda daria um último e memorável pum. Como eu ia dizendo lá atrás, ele era famoso na cidade em que morava. Tanto é que um programa de televisão quis fazer uma entrevista com ele. Ele até topou. Mas o dono da emissora de televisão achou melhor não. O programa era na hora do jantar e não ficava bem apresentar um homem soltando puns no vídeo na hora em que todos estivessem comendo. Mas, como o público exigiu e a televisão sempre faz o que o público quer, levaram apenas uma fotografia do João do Pum. Ele com uma carinha amassada, contraída. Quem conhecia bem o João do Pum sabia que, quando a fotografia foi batida, pum.

* * *

No spa, algumas surpresas logo de cara. Todo mundo era obrigado a pesar e tirar as medidas do corpo todo. Um eletrocardiograma, a passagem com o médico de plantão. E deram uns potinhos pra recolher urina e fezes pela manhã, às sete e quinze, quando todo mundo seria acordado. Íamos tirar sangue para todos os exames.

Fiora e Darwin foram agraciados com a dieta de seiscentas calorias (por dia). Eu, a Larissa e as crianças com alguma novidade chamada "dieta livre".

Depois disso, da passagem pelo ambulatório, uma mocinha[78] simpática revistou toda a minha mala no quarto. Chegou a cheirar o creme de barbear:

– Tem gente que coloca leite condensado aqui dentro, acredita?

Acreditei piamente.

Uns chicletes foram confiscados. Seriam devolvidos na minha saída. O quarto era amplo, tinha uma varanda. Mas os avisos não traziam a palavra hóspede e sim paciente. Fiquei meio cabreiro. *Well*, pelo menos iria fazer um *check-up*!

Todo mundo de banho tomado, subimos para o jantar onde pude observar toda a fauna. Gordos e gordas. Todos falavam meio alto e todos riam. Umas quarenta pessoas.

Fiora perguntou para a garçonete quem era o Zé do Carmo e foi informado que estava no 3 nos esperando.

– Avisa que já chegamos e, assim que acabarmos aqui, vamos lá.

– É só descer ali pela esquerda – carregou no R. – Com licença. Vou avisar.

Entre o jantar e o cafezinho, Fiora me puxou para a varanda:

– É o seguinte, Escritor. Tu pensa que eu estou investigando apenas a morte do professor lá da Federal de Floripa. Aquilo foi apenas o primeiro de três crimes de um *serial killer*.

– Eu sei...

– É por isso que estamos aqui. Um tal de Zé do Carmo – que deve ser gordo e maçom como os três já assassinados – acha que vai ser o próximo e parece que tem uma pista. Pode não dar em nada... Mas temos que conversar com ele.

– Temos? Tou incluído?

– Claro que não. Mas vou te mantendo informado. Creio que tu não vai achar ruim ficar passeando por aí com a Larissa.

Fiquei meio sem jeito, confesso.

---

[78] **Gladys Regina**, 21 anos, natural de Jaguariúna mesmo, estudante de hotelaria.

* * *

Instalei o meu *notebook*, abri uma página em branco e escrevi um título: *O serial killer da Ilha*. Era péssimo o título, reconheço. Mas, ao digitar, sabia que estava deixando o meu outro romance, *A chave*, de lado. Afinal, eu estava vivendo no meio de uma história que certamente daria um bom livro. Eu, agora, fazia parte do enredo. E não sentia nenhum medo em participar do filme. Pelo contrário, estava excitado. Muito excitado.

Batem na porta.

– Entra, tá aberta.

Entrou a Larissa.

– Dormiram?

– Despencaram. Vamos subir, tá tendo música lá em cima.

– Vamos.

Na alameda que nos levava para a parte de cima do spa:

– O que você sabe das investigações do Fiora?

– Absolutamente nada. Ainda não conheci o investigador. Conheço só o pai Fioravanti. Por sinal, um superpai.

– Meu lado escritor está excitado...

E aí ela disse um negócio que me desnorteou e animou:

– Só o lado escritor?

Não sabia o que responder. Nem precisava.

* * *

Foi a primeira vez na vida que Fioravanti viu seis homens reunidos, oito com ele e Darwin, todos tomando água mineral.

Depois das apresentações de uns pra todos, o doutor Pereira, o dono, tomou a palavra.

– Em primeiro lugar, são todos bem-vindos. Confesso que fiquei um pouco preocupado quando vocês fizeram a reserva. Estava mesmo intrigado com a morte do Hans, do Maneco e do cabo-verdiano. Ou é muita coincidência ou... – Não quis terminar a frase. – Mas agora estou mais preocupado ainda quando me apresentaram o investigador...

– Fioravanti.

– Obrigado. Fioravanti. Espero que me entendam. O nosso spa não pode ser envolvido em nenhum escândalo.

Fioravanti pediu a palavra com um sinal de mão.

– Doutor Pereira, vim aqui apenas para conversar com o Zé do Carmo, se me permite chamar assim. Garanto que não vai haver nenhum tiroteio aqui.

Todos riram. Como gordo gosta de rir!

– Me parece que o Zé do Carmo está cismado em estar na lista de um *serial killer*.

– Todos nós.

– Antes de mais nada: todo mundo aqui é maçom?

Todos se entreolharam não entendendo a pergunta. Não, ali não tinha nenhum maçom. Portanto o Sete de Paus não estava a fim de maçom. O negócio dele era gordo mesmo.

– Ok. Me conte tudo, Zé do Carmo.

– Tudo começou há cinco anos, quando nos conhecemos, os sete, aqui. Nós quatro e os três falecidos, que Deus os tenha.

– Vamos desde o começo. Fale tudo. Mesmo o que achar que não tem nenhuma importância para o caso.

Darwin ligou o gravador na mesinha de centro.

– Algum problema em gravar?

Todos balançaram a cabeça. Numa boa.

– Por favor. Vamos lá. Desde o começo.

“Eu tenho uma teoria para lidar
com as emoções e as sobremesas:
congele-as e as esconda na barriga.”

Nero Wolfe, de Rex Stout

CAPÍTULO 15

CINCO ANOS ANTES, NO SPA

Logo depois, Hans Schneider (aquele, o primeiro que seria assassinado cinco anos depois) descobriria que era uma e meia da manhã quando o celular tocou estridentemente.

Hans havia deixado o telefone carregando em cima da pia do banheiro e dormido antes da meia-noite. O aparelho estava em cima de uma pia de mármore, o que fazia o som duplicar com a trepidação.

Até ele despertar de vez, entender o que estava acontecendo, acender a luz e chegar ao banheiro, balançando lentamente a proeminente barriga, o telefone já havia parado de tocar. Preocupado, verificou quem havia ligado àquela hora. Podia ser sua mulher, de Florianópolis. Será que ela poderia ter imaginado que ele estava no Spa Porto Feliz, em Jaguariúna, com a Adrianinha?[79]

Sim, o código era 48, Floripa, mas ele não conhecia aquele número. Engano, provavelmente. Amanhã ele trataria disso.

– Quem era? – perguntou Adrianinha.

– Sei lá, desligaram antes deu atender. Mas era da Ilha.

Adrianinha sentou-se na cama, preocupada:

– Será que não foi o meu namorado?[80]

---

[79] **Adriana da Costa Kerlinger**, 21 anos, sua aluna de Mecânica dos Fluidos na Universidade Federal de Santa Catarina. Uma das alunas que ele levava para o spa. Não raspava debaixo do braço.

[80] Um corno qualquer que não tem a menor importância para a nossa história.

– Pára com isso, Adrianinha! Como é que ele ia saber o meu telefone? E imaginar que tu está aqui comigo?

– Pega o celular, deixa eu ver o número.

Adrianinha tinha um namorado firme na Ilha, mas gostava de grandes emoções. E de boas notas.

Hans volta ao banheiro para ver o número. Quando pega o celular, toca de novo. Adrianinha junto com ele.

Era uma voz nervosa de mulher. Falava de um só fôlego, sem se deixar interromper pelo Hans:

– Godô,[81] seu filho-da-puta, o que tu fez eu nem sei que nome dar, seu filho-da-puta, eu vou te matar, tá me ouvindo? Tá me ouvindo, seu babaca?

– Quem está falando? – respondeu Hans, calmo, curioso e bocejando.

– Como, quem está falando? Não se faça de besta, Godofredo. É a Valéria!!![82] Valéria!!! Quer saber?, eu não vou te matar, não, eu vou mais é cortar o teu pau. Tás me ouvindo, filho-da-puta, escroto? Eu vou cortar o teu pau!!! E tu sabes que eu sou mulher pra isso.

E desligou o telefone na cara dele.

– Engano. Uma tal de Valéria dizendo que vai cortar o meu pau, quer dizer, o pau de um tal de Godofredo.

– Eu, hein?

Adrianinha começou a se vestir para voltar para o seu quarto. Ninguém no spa sabia que os dois eram amantes. Beijinho, beijinho, ela foi embora.

O quarto do Hans tinha uma porta que se comunicava com o 26, onde estavam o seu irmão Maneco e o Abud, enquanto aguardavam vagar quarto para cada um deles. O Spa Porto Feliz estava

---

[81] **Godofred Atanásio Steinbecker**, 25 anos, na época. Mais para a frente falaremos dele.

[82] **Valéria V. Cunha**, namorada do Godô, 19 anos, loira natural, pele bem branca, drogada e alcoólatra de fim de semana, largou a faculdade, pratica karatê.

lotado. Dava para ouvir de leve o ronco deles, portanto, pensou Hans:

Eles devem ter acordado com o barulho do celular. Ainda mais em cima da pia, faz mais barulho ainda.

Hans deita, se ajeita. Toca de novo.

– E sabe o que eu vou fazer com o teu pau depois de cortar? Vou enfiar no teu cu.

– Minha senhora, qual o número que a senhora discou?

– Não se faça de besta, Godô. Como se eu não conhecesse a tua voz! Que vai ficar fininha daqui a uns dias. Ou horas. Ou horas, tás me ouvindo, seu filho-da-puta?

– Foi engano. Qual o número que tu discou?

– O teu, caralho!!!

E disse o número. Era quase igual ao do Hans. Apenas um cinco no lugar de um oito. Hans não deixou por menos:

– Vá te fuder!!!

Desativou o celular e foi dormir.

Foda-se o Godofredo! O Maneco e o Abud devem ter acordado...

* * *

Assim como o maiô iguala as pessoas na praia, o roupão deixa todos iguais num spa.

Eram oito da manhã e numa mesa redonda estavam seis gordos e o magro Ferreirinha comendo lentamente duas torradinhas com ricota. Depois correriam, fariam hidroginástica. Sete pessoas que nunca haviam se encontrado mas que, com uma semana de spa, pareciam velhos amigos de infância. Todos eles tinham três particularidades em comum: eram gordos, tinham dinheiro e eram engraçados. Todo gordo é engraçado.

Além de Hans Schneider:

Teodoro (que seria morto e capado cinco anos depois), Chico Rezende, o doutor Abud (ainda com os oitenta quilos a mais, que perderia cinco anos depois com a operação), Mané Schneider (o segundo a ser assassinado cinco anos depois), Zé do Carmo e o quase alcoólatra Ferreirinha.

Pois ali estavam os sete rindo da própria fome, às oito da manhã.

Foi quando Hans perguntou ao seu irmão Maneco e ao Abud se o celular não tinha acordado os dois. Tinha!!! Hans contou toda a história da Valéria e do Godofredo. Todos riram muito. *Coitado do Godofredo...*

Mas foi o Ferreirinha, tarado por histórias policiais, quem se tocou primeiro.

– Hans, se foi engano, e foi!, então o Godofredo não está sabendo de nada. Não sabe o perigo que está correndo. Ela vai cortar o pau dele, gente!

Todos concordaram e ficaram solidários com o Godofredo.

– A Valéria pode aparecer e pegar o cara de surpresa. De calça curta.

– Temos que avisar o Godofredo!!! Como é mesmo o telefone dele, destrocando o oito pelo cinco do seu celular?

Hans deu e informou que o código de área era 48. Todos ficaram sérios e o Ferreirinha ligou com o seu celular, prefixo 081.

– Godofredo? Oxente, desculpa se te acordei, bichim, e você nem me conhece. Você conhece a Valéria? Isso. Olha, estou falando do Recife e queria te avisar pra ficar de orelha em pé. Ela está ameaçando cortar o seu pau!!! Não, foi isso mesmo que você ouviu. Te cuida, garoto! O comentário aqui na praia da Boa Viagem é geral. E a Valéria é cabra da peste danada de ruim de doer! Te cuida, menino!

E desligou. Todo mundo ria, gargalhava.

– Estás lá? Godofredo, estou a falar de Mindelo, em Cabo Verde. Na África, seu ignorante! Tu sabes muito bem do que a Valéria é capaz, não é? Pois aqui no meu país estão a dizer que ela vai cortar tua pila antes do meio-dia. Cuidado com as aldrabices dela! Passar bem.

Chico Rezende, o dos nelores, prefixo 034:

– Vai capar, sim! Aqui na Feira do Gado de Uberaba não se fala noutra coisa.

– Godô, tou falando aqui do Senado Federal, em Brasília. Viu o prefixo, né? Ah, já tá sabendo? Durma de bruços!

E assim fizeram os sete. O máximo que o assustado e incrédulo Godofredo dizia era *mas quem é tu?, como tu sabe disso?*

E, logo depois, foi a vez da Valéria receber sete telefonemas, um deles internacional. O assunto era o mesmo: *o Godofredo disse que você não é mulher pra isso; o Godofredo disse que vai fazer picadinho dos teus peitos; o Godofredo disse que você é sapatão!*

E desceram para correr nas esteiras, ainda chacoalhando as panças de tanto rirem e já pensando no almoço.

Estava nascendo ali, há cinco anos, portanto, a Venerável Grã-Ordem de São Fuldêncio do Pau Cortado. Brincadeira esta que seria responsável pela morte de quase todos eles. Mas, por enquanto, como dizia o doutor Abud, "só alegria".

“Enfia no cu!”

Salvo Montalbano, de Andrea Camilleri

CAPÍTULO 16

TEM UMA COMPULSÃO SEXUAL IRREFREÁVEL, IMPOSSÍVEL DE SEGURAR

Godofred Steinbecker – pra ser bem lugar-comum – é aquele moço que toda sogra gostaria de ter como genro. Filho de uma das mais tradicionais famílias da ilha de Santa Catarina, rico, bonito, simpático, bem-humorado, partidão, como se dizia antigamente.

Diz a lenda que a região de Canasvieiras era toda de sua família, no norte da Ilha. Seu pai, industrial e comerciante, fez o filho estudar administração de empresas na Fundação Getúlio Vargas, em São Paulo, e depois mestrado em Stanford.

Tinha 25 anos na época, cabelos loiros, olhos azuis, não negando os ascendentes alemães. Sobrinho, por parte de mãe, de um senador por Santa Catarina, seu avô também materno foi governador do estado nos anos 50. O sobrenome da mãe, Atanásio, era sinônimo de voto garantido nas urnas de Santa Catarina.

Hoje Godofred, ou simplesmente Godô, tem uma sociedade com o seu pai para exportação de ovas de tainha para o Japão, China e outros países da Ásia. Enquanto os antigos pescadores da Ilha ficam no alto dos morros vendo os cardumes se aproximarem, a Steinbecker & Steinbecker trabalha com helicópteros e radares. Na água, seus mais de trinta barcos de pesca lançam as redes, pegando até cinco toneladas de tainhas em cada tentativa. É dinheiro que não acaba mais.

Gente boa o Godô, freqüentador dos bons bares na Ilha e em Paris, onde se refugia no Marais em apartamento próprio quando não é tempo de tainha, ou seja, quase nove meses por ano, tirando o inverno quando os peixes chegam do extremo sul, fugindo do frio.

Gente boa, com um único defeito (se é que isso é defeito): tem uma compulsão sexual irrefreável, impossível de segurar. Mas quase ninguém sabe disso (a não ser elas). Para você ter uma idéia, talvez seja a única pessoa do mundo a ter feito uma plástica no pênis. Havia operado uma fimose na infância e não gostava de uma certa pelinha que sobrou abaixo da glande. Fez a cirurgia em Paris, o que deixou seu membro meio degradê. Que era como ele o chamava: O Degradê. O Degradê era sua paixão, seu orgulho, valia mais que cem toneladas de ovas de tainha.

E essa compulsão sexual foi o que levou Godô à ruína.

Além das tainhas, seu pai era dono de uma grande rede de supermercados espalhada por toda Santa Catarina e algumas cidades do Rio Grande do Sul. O Supermercado Superbonn, com dois enes, em óbvia homenagem à cidade de Bonn, onde o velho, barba ruiva e gigantesco Steinbecker[83] havia nascido.

Amigo de todos na Ilha, políticos, empresários e principalmente etecétera, Godô, na mesma manhã do dia que recebeu os telefonemas, com os números todos anotados, com algumas ligações para pessoas com altos cargos na cidade e que entendiam de telefonia, conseguiu descobrir a origem de cada um deles. Nome, endereço, etc. Até mesmo um que havia telefonado da África, mais precisamente de Mindelo, Cabo Verde, um tal de Teodoro da Mata.

De noite, estava em casa tomando uma vodca, vendo o BBB, olhando para as páginas que o amigo havia passado por *e-mail* com o nome dos sete. Ficou tão preocupado com isso, que não teve nem tempo para pensar na Valéria, que estava puta da vida com ele. Mas desta vez ele abusara. Comer a Dina, mãe da namorada Valéria, vamos e venhamos.

---

[83] **Max Steinbecker**, 68 anos, veio para Santa Catarina com 8 anos de idade. Fez fortuna. Empresário e grande benemérito. Rotariano 100%.

Foi pensar em ligar para ela e o interfone tocou. Era ela. Mandou subir. Foi pegar outro copo, serviu de uísque (ela não gostava de vodca), colocou gelo, cheirou, deixou a porta aberta e voltou para o BBB. Não podemos dizer que ele não estava preocupado. Por mais que tivesse pensado o dia inteiro, não conseguia entender os telefonemas. Ninguém citava a mãe da Valéria, a Dina. Mas a Valéria poderia ter algo a dizer sobre aquilo.

E, quanto ao acontecido com ele e a Dina, com bastante uísque – Valéria bebia bem –, Paris e uma bela trepada, tudo se resolvia. Afinal, foi a Dina quem deu em cima dele. Ele estava quieto no seu lugar, diria depois, se fosse o caso.

Mas a Valéria entrou sorridente e toda feliz. Já cheirando a álcool.

– Hoje é dia de paredão, né?

Foi a primeira frase que ela disse. Sentou-se ao lado dele, pegou o uísque. Parecia tranqüila. Parecia.

O que aconteceu nas duas horas seguintes, não só Florianópolis, mas todo o Brasil, através da mídia, ficaria sabendo em seus mínimos e sórdidos detalhes.

Valéria, enquanto fazia sexo ali mesmo na sala, por fim pegou, como se fosse uma personagem de Nelson Rodrigues, a navalha. De repente, Godô viu um objeto fazer um risco intenso e luminoso. Era a luz quebrando-se na lâmina viva. Na mão da Valéria, a navalha tornou-se ainda mais leve, macia, diáfana. Ela feriu a alma da sua carne. Foi um golpe único e exato. Decepado, o cacho do sonho e da vida pendeu de um filete vibrante. Finalmente, soltou-se. A vida é como ela é.

Valéria, histérica, berrava:

– Minha mãe, filho-da-puta! Minha mãe, filho-da-puta! Minha mãe, filho-da-puta!

E foi com a mesma navalha que Godô – enquanto tentava estancar o sangue que esguichava forte, amolecendo de vez o que sobrava do seu Degradê – matou a Valéria com vários cortes no pescoço, enquanto gritava:

– Eu vou matar os sete, Valéria! Eu te prometo matar os sete!!! Foram eles! Foram eles! Prometo!

Colocou o pedaço da sua própria carne em cima da mesinha e telefonou para o pai.

– Pai, cortaram o meu pau, pai!!!

"Ai, meu Deus, que horror. Que verdadeiro horror."

MISS JANE MARPLE, AGATHA CHRISTIE

CAPÍTULO 17

NEM SE VESTIU, PEGOU O ROUPÃO E SAIU CORRENDO

Sim, é claro que Fioravanti e Darwin se lembravam da mutilação e do crime acontecido há cinco ou seis anos em Floripa. O mutilado e assassino Godofred Steinbecker era mais do que conhecido no estado. Mesmo assim, havia sido condenado a dezesseis anos de prisão, apesar de todos os parentescos e influências.

Por bom comportamento, o Cotoco Loiro, como era conhecido na Penitenciária de Santa Catarina, havia sido colocado em liberdade há cerca de um mês, informava a secretária do Fioravanti, Denise. Antes do primeiro crime, portanto. Encaixava. Batia.

O autor dos crimes estava ali. Godofred Steinbecker, agora com 30 anos. Uma vingança e tanto, seu plano para matar os sete.

Naquele exato momento, ainda conforme a Denise, Godofred estava na Alemanha, em Bonn, visitando seus antepassados, segundo deixou escapar o gerente de um dos Superbonn.

* * *

Fioravanti e Darwin não tinham pressa, portanto, para voltar para a Ilha. Os quatro futuros mortos estavam ali, ao lado deles, protegidos. E o provável assassino, a milhares de quilômetros dali. Fioravanti esperaria a Rainha da Dinamarca chegar de Cabo Verde, aproveitaria o local para fazer todos os exames, curtir um pouco o filho e depois iriam aguardar o Godô. Mas o mais importante: teriam tempo para pensar numa estratégia de chegar nele. No Brasil ou na Europa. Muita cautela, o rapaz era de uma das famílias mais tradicionais de Santa Catarina. Eles não podiam errar. Não podiam acusar sem provas. Havia indícios apenas.

Fioravanti e Darwin conversavam antes do jantar, pedalando em duas ergométricas:

– Pensando no Steinbecker ou na dinamarquesa?

– Steinbecker – pedala, pedala. – Esses gordos são loucos! Será que eles têm noção que serão julgados por incitarem alguns assassinatos? Isto, se sobrar algum vivo... Bando de moleques irresponsáveis. Fizeram a merda toda e cagaram de rir.

– Fugiu, tu achas? O Steinbecker?

– Ele tem uma inteligência acima da média, Darwin. Bem mais que esse bando de gordos da tal Grã-Ordem de santo não sei o quê. Não, não acho que ele fugiu. Não fugiria. Acho que foi dar um tempo. Mas, se não voltar, a Interpol acha ele. Temos que pensar muito, Darwin, em como chegar no rapaz.

– A Denise não sabe quando ele volta?

– Passagem só de ida... O importante é que temos o motivo para ele cometer a série de crime – pedala, pedala, pensa. – Ele foi provocado por este bando de gordos loucos. Agora tão aí se cagando todos – pedala, pedala. – E, por falar em cagada, como foi que tu fez pra recolher o cocô para o exame hoje de manhã?

– Mas que papinho, Fiora...

– Qual o problema? É interessante isto. Tu há de convir comigo que é interessante. Cada pessoa deve ter o seu estilo.

– Ah, é? E qual foi o teu estilo?

– Bem, de cara, tu tem que tomar uma decisão: usar a pazinha ou não usar a pazinha. Eu optei por não usar a pazinha. É mais emocionante. Depois, escolher a posição do teu corpo, as curvaturas certas, do copinho e a iluminação e/

Foi interrompido pela senhora[84] ao lado que suava, queimando suas calorias e a tudo escutara:

– Acho que usar a pazinha facilita muito. Recolhi o meu em segundos. E o xixi, vocês sabem, né? Não vale o primeiro jato.

– Claro!

– No caso, não me dei muito bem. Porque depois do primeiro jato eu não consigo segurar, entende? Tive que tomar um banho geral depois.

Fiori se lembrou de um fato importantíssimo!

– Foi até bom a senhora comentar sobre o jato da senhora. Vou aproveitar para fazer um exame de próstata.

– Ah, isso é bom. Meu marido faz a cada dois anos. E o senhor? Escuta, o senhor não fica encabulado? Quero dizer na hora do...

* * *

Sim, naquela noite a Larissa dormiu no meu apartamento, mas não creio ser necessário entrar em detalhes desta nossa aventura e desviar o foco da atenção da minha narrativa, principalmente neste momento da história. Meu único problema, no momento, era tentar saber se ela havia ficado comigo por ser quem eu era ou por ser quem eu sou, um sujeito normal-lexotan. Mas eu teria muito tempo pela frente para conhecer melhor a *baby-sitter*, estudante de letras. Dormi pensando nisso. No dia seguinte, seria acordado bem cedo, pelo insistente telefone:

– Senhor, são sete e quinze – é, eu estava num spa, me lembrei.

* * *

Para inveja de todas as gordinhas e das quase gordinhas, Gertrudes chegou ao Spa Porto Feliz naquela tarde. Fioravanti ti-

---

84 **Dona Cleonice**, 48 anos, de Rondônia. Há doze dias no spa, já havia emagrecido 6,8 quilos e perdido 8,14 centímetros de cintura.

nha bom gosto. Uma dinamarquesa linda, com um sorriso largo, simpática com aquele sotaque esquisitíssimo. Perto das demais pacientes, era magérrima.

Mas Fioravanti não estava lá em cima para receber a moça. Estava fazendo um toque. Anal.

* * *

Acredite quem quiser, o urologista do spa se chamava Bráulio.[85]

– Estou sentindo a próstata um pouco dilatada. Mas não sinto nenhum nódulo. Em todo caso, vou pedir para as meninas incluírem um PSA-zinho nos seus exames. Já retirou sangue de manhã, né?

– Sim, vamos fazer um PSA-zinho. O último estava quase 4.

– Mas não fique preocupado. É só uma questão de segurança.

– Toda atenção à próstata, doutor Bráulio! Toda!

* * *

Fioravanti se trancou no quarto com a Rainha, deixando o Valentim por nossa conta. Mas a gente nem precisa se preocupar. Ele e o Tomás brincavam direto pelo spa inteiro enquanto eu e a Larissa participávamos da hidroginástica na piscina de água aquecida. Vidão, a desses gordinhos.

Eu ainda não sabia de nada do que havia sido conversado entre os quatro restantes da Venerável Grã-Ordem de São Fuldêncio do Pau Cortado e Fiora/Darwin.

* * *

---

85 **Doutor Bráulio de Brito**, mais de 70 anos; portanto, há uns cinqüenta anos enfiando o dedo no reto dos outros. Fazia aquilo com uma tranqüilidade que chegava até a irritar. Assoviando *La vie en rose*.

Na sauna, no finzinho da tarde, o Zé do Carmo, todo relaxado e protegido pelas quatro paredes do spa, me explicaria o que era a tal Ordem. Era uma brincadeira quase infantil.

– Mais uns dias aqui e você vai perceber que todos nos transformamos quase em crianças aqui dentro. Esquecemos o mundo lá de fora. Relaxamos. Isto aqui parece aqueles acampamentos que a gente fazia quando era criança. Depois que nos conhecemos aqui, nós sete, há cinco anos, ficamos muito amigos. E sempre que um de nós marca a volta, avisa os outros. Nos reunimos aqui pelo menos três vezes por ano. E inventamos o nome da turma. Negócio infantil mesmo. Venerável Grã-Ordem de São Fuldêncio do Pau Cortado!

Resumindo, a tal grã-ordem era apenas o nome daquela turma. Poderia ser Clube do Bolinha, por exemplo, que seria até mais adequado.

– Mas por que o pau cortado?

Entraram outras pessoas na sauna e eu só ficaria sabendo o que era aquilo, bem mais tarde, contado pelo próprio Fiora.

* * *

De noite teve caraoquê. E a grande surpresa foi a Gertrudes cantando *Garota de Ipanema* em dinamarquês. Antes das onze, todo mundo já estava em seus respectivos quartos.

Fiora, depois de fazer muito amor com a sua rainha, tomou um remédio para conseguir dormir tão cedo. Ainda não era meia-noite. Mas foi acordado de um sono profundo mais ou menos às três da madrugada pela dinamarquesa.

– *Sua* celular receber mensagem. *Duas* toques...

O código era de Curitiba, mais uma vez. Gertrudes acendeu a luz. Fiora leu:

Ás de Ouros. Quarto 3. Homem morto. Sete de Paus.

Nem se vestiu, pegou o roupão e saiu correndo.

– Que *passar*? – perguntou Gertrudes, mas Fiora já havia saído.

Fiora se encontrou com o Darwin, que também chegava correndo com o segurança[86] correndo atrás dele, na porta do quarto 3, do Zé do Carmo. Abriram a porta que não estava trancada, acenderam a luz.

Zé do Carmo estava morto, conforme o torpedo. O pau da boca ainda pingando sangue e a assinatura do criminoso, o sete de paus entre as pernas gordas.

– Não acredito! – para o segurança – Liga para o dono, o carequinha... o...

– Doutor Pereira – respondeu Natalino, trêmulo.

– Isso! Mas não diga nada. Apenas que eu mandei chamar ele. Meu nome é Fioravanti.

– Doutor Fioravanti. Pode deixar – pegou o celular e discou.

– Caralho...

---

[86] **Natalino de Jesus Caruso**, 30 anos, mulato claro, casado, dois filhos, nascido e criado em Jaguariúna. Pequeno e magro. E é segurança. Devia ter algum segredo para ter conseguido o emprego, pensou Fioravanti, quando viu o elemento.

“Não confio em um homem que não bebe à vontade. Se ele precisa tomar cuidado para não beber demais, é porque não se pode confiar nele quando bebe.”

Sam Spade, de Dashiell Hammett

CAPÍTULO 18

O QUE O SENHOR ESTÁ PEDINDO É SIMPLESMENTE IMPOSSÍVEL

O doutor Pereira ficou cinco minutos cravados, em pé, diante da cama do Zé do Carmo, olhando a cena. Não dizia nada. Mas pensava tudo. Como um tique nervoso, a pele da sua bochecha dava umas vibradinhas de vez em quando. Ele suava o calor de janeiro do interior de São Paulo.

– Quem sabe disso?

– Só nós três. E o segurança.

O doutor Pereira fez sinal para Fioravanti e Darwin o acompanharem. Pegou a chave que estava do lado de dentro da porta, trancou por fora.

– Vamos para a minha sala – e, para Natalino: – Vem conosco.

* * *

No escritório.

– Ninguém pode saber disso. Está me ouvindo, Natalino?

– Sim, senhor.

Fioravanti acende um cigarro, Pereira abre a janela.

– Se isso vazar eu tou fudido, o spa está fudido!!! – estava cada vez mais nervoso o homem.

Pegou um telefone e discou. Aguardou um tempo:

– Cabral? – Para os dois. – Meu sócio – volta ao telefone. – Eu sei que horas são, caceta! Vem pra cá!!! Uma cagada, Cabral! Uma puta cagada!!! – E desligou sem mais nada dizer, olhou para os três. – Ninguém pode saber...

Fioravanti estava calmo:

– Doutor Pereira, o que o senhor está pedindo é simplesmente impossível.

– Nada é impossível. Nada!!! Vamos pensar com calma, com calma!!!

– Eu estou com calma. O senhor é quem devia tomar alguma coisa. Sua aorta vai estourar daqui a pouco.

– Puta que o pariu!!! Não me faltava mais nada! Mais nada! Vamos pensar, vamos pensar... Vamos aguardar o Cabral. Puta que o pariu!!! E o spa cheio...

– Doutor Pereira, podemos aguardar até o papa, mas o senhor está se esquecendo que eu sou policial. Não posso ignorar que tem uma pessoa assassinada no quarto 3.

– Vamos esperar o Cabral... Caceta!!! E você, Natalino, não viu nada, porra?

– Não, senhor. Só vi quando ele – apontou para o Darwin – passou correndo e fui atrás.

– Quantos seguranças tem lá fora, doutor Pereira?

– Quatro. Um pra cada muro.

– Natalino, fala com os quatro. Pergunta se não notaram nada de diferente.

Natalino ia saindo, Pereira o segurou:

– Natalino, o pessoal lá de fora deve estar desconfiado. Para eu vir a essa hora aqui... Diga que roubaram o *notebook* de um paciente.

– Sim, senhor.

Natalino sai.

– Querem água? É a única bebida que eu posso oferecer.

– Aceito.

– Aceito.

Depois de vinte minutos, chegou o sócio Cabral[87] e foi inteirado da história. E começou com a mesma ladainha do Pereira: *isso não pode sair daqui, não pode vazar,* etc. Estava branco, o Cabral.

E Natalino garantiu que lá fora estava tudo normal. Ninguém viu nada.

– Pode ser que o assassino esteja aqui dentro ainda. Seja um dos hóspedes.

– Pode – afirmou Fioravanti. – Mas temos que tomar algumas providências e é já.

– Ligar para a polícia? Pelo amor de Deus! – disse o doutor Cabral olhando uma fotografia aérea do spa na parede.

– O senhor tem alguma outra sugestão, doutor Cabral? Carregar o corpo do Zé do Carmo para um terreno vazio? Não temos outra possibilidade, meus senhores.

– Mas isso vai ser o fim do spa!!! O senhor consegue entender o tamanho, a extensão da merda?

– Entendo perfeitamente. Mas tenho que avisar a polícia.

– Mas você é a polícia. Já está avisado.

– A polícia da cidade, doutor Pereira. E eu prefiro que um de vocês faça isso. E o mais rápido possível.

– Podemos ficar sozinhos cinco minutos?

– Claro. Cinco minutos.

Fioravanti, Darwin e Natalino saem. Pereira fecha a porta.

Cabral acende um cigarro no outro.

– Fudeu, Cabral!

– Fudeu!

Pereira chora no peito do sócio.

Vinte e dois anos por água abaixo, por um pau cortado.

* * *

---

[87] **Doutor Jorge Henrique Cabral**, 65 anos, viúvo. Ao contrário do sócio Pereira, elegantíssimo, mesmo considerando a hora da madrugada em que ele chegou ao spa e à história. Magro, muito magro, para dar exemplo aos famintos pacientes?

Na manhã seguinte, todo o spa sabia do ocorrido. Dos quarenta e poucos pacientes, dezoito foram embora. Antes, Darwin conversou com cada um deles, que ficaram indignados. Mas era necessário.

Os que ficaram foi em solidariedade ao Chico Rezende, Ferreirinha e ao doutor Abud, que, agora, de suspeitas vítimas passaram à condição de suspeitos de assassinato.

A polícia local deu uma varredura em todos os apartamentos do spa, enquanto a Polícia Federal de Campinas examinou os apartamentos dos três remanescentes da Venerável Grã-Ordem dos Babacas de Plantão, como dizia o Fioravanti. Nenhuma das polícias encontrou nada suspeito em nenhum dos 36 apartamentos. Muito menos nos dos três. Se bem que no do Ferreirinha foram encontradas duas garrafas de cachaça Pitu, imediatamente confiscadas pela direção do spa. Os três estavam mais do que abalados. Estavam com medo, aterrorizados.

Quase todos os pacientes que ficaram queriam entrar no apartamento 3, ver o corpo.

Fiora colocou dois policiais na porta.

Mesmo depois de tantos anos de polícia, não consigo entender por que as pessoas gostam tanto de ver de perto a morte de uma pessoa. É um mistério que eu nunca fui capaz de captar direito – filosofou.

Enquanto Darwin conversava com os pacientes que estavam indo embora, Fiora conversou com cada um dos três em separado, de duas a três horas. Sentiu – mas não tinha certeza – que nenhum deles seria capaz de matar alguém. Mas nunca se sabe do que é capaz o ser humano.

Há no homem toda espécie de instintos profundos que ele mesmo desconhece. O desejo de sangue, a necessidade do sacrifício! – continuou filosofando Fiora. Mas, ao mesmo tempo, como uma pessoa entraria no spa de madrugada e sairia? Deu vontade de telefonar para o Sherlock Holmes ou o Calvo Montalbano. Ou seria o caso da espevitada *Miss* Marple e do frio Hercule Poirot? Ah, Agatha...

Outra providência foi mandar as crianças embora com a Larissa e o Darwin. Ficariam todos na casa do Darwin em Florianópolis. As crianças chiaram. Eu chiei internamente. Mas resolvi ficar, mesmo sem a Larissa. Estava no epicentro da história. Não ia perder os próximos capítulos por nada.

Na Ilha, Darwin deveria rastrear os passos do Godô desde o momento em que ele saiu da penitenciária até o embarque para a Alemanha. Ver as companhias áreas, descobrir se ele viajou para São Luís e Cabo Verde. Conversar com o diretor da penitenciária para saber do comportamento dele lá dentro durante os cinco ou seis anos. Enfim, um pente fino nos passos do rapaz.

E o doutor Pereira se internou no próprio spa com hipertensão e a pressão pra lá de 20 por 13. *Agora ele ia ver o que é bom pra tosse, comendo seiscentas calorias por dia* – comentou um dos pacientes, rindo da desgraça alheia e da própria.

* * *

– Pelo que eu *estar* entendendo, *ter* um assassino entre nós... – concluiu abalada a Gertrudes, que tomava sol na piscina.

– Pode ter. E este é o título de um dos melhores romance da Ruth Rendell. *Um assassino entre nós*.

– *Hvor der handles, der spildes!* Outra *provérbia* dinamarquesa: Onde *ter* ação, *ter* lixo.

– É isso.

Gertrudes abraça Fioravanti, trêmula.

– O que vai fazer, *Fifi*?

– O segredo do sucesso da polícia, Gertrudes, depende do simples fato dos seres humanos acharem que o seu nível de inteligência é a norma, o padrão, e agirem assim.

– Entender. Mais ou menos.

– Por isso, os bobos não demoram a ser presos, pois a idéia que têm de esperteza é tão precária que transforma eles numa presa óbvia. Em compensação, essa mesma regra dificulta muito o trabalho quando eu topo com criminosos inteligentes e corajosos.

Do outro lado da piscina, Chico Rezende toma sol, com o *Estadão* aberto. Ao seu lado a sua garota de programa de plantão, completamente melecada, untada e florescente, cheia de viço, saúde, vigor, lê *Caras* (durante a noite ela havia faturado três gordinhos, para desespero dos donos do spa). Do outro lado, seu sarado piloto Osório. Chico não consegue tirar os olhos de Gertrudes. Nem Osório, que disfarçava. Chico pensava num jeito de passar o telefone dele para ela. Mandava o jatinho buscar aquilo até mesmo na Dinamarca. Marilyn iria mugir de felicidade.

– E *achar* que *esta* assassino *ser* inteligente e *corajosa*?

– *Achar*. E muito. Pode ser que esteja mais perto do que a gente imagina, rindo da minha cara.

– Você vai achar assassino! Vai achar!

Gertrudes mergulha seu corpo na piscina. Chico Rezende quase tem um orgasmo. O piloto Osório também.

Foi quando eu cheguei e me instalei na espreguiçadeira ao lado, enquanto Chico Rezende também entrava lentamente na piscina pela escadinha.

– Grande mulher, Fiora!

– Em todos os sentidos, Escritor.

– Notei que ela é uma dessas raras pessoas capazes de dar um abraço sem dar palmadinhas nas costas.

Fiora ri.

– Tu é doido, Escritor...

– Notícias do Darwin?

– Acabam de embarcar em Congonhas.

– Boa notícia.

– Agora a má notícia. A imprensa do Brasil inteiro está lá fora.

– Eu imaginava – muda de assunto – O cara é esperto demais, Escritor – fica olhando para o nada, pensativo – Sabe?, a única pessoa que se antecipa aos acontecimentos é o assassino.

Toca o celular do Fioravanti. Era o delegado Delgado querendo saber das últimas informações. E não havia últimas informações. Conversaram sobre a imprensa. Delgado achava que Fiora deveria falar com eles. E dizer que havia um suspeito. E não dizer mais nada. Fiora desligou.

– Marquei uma coletiva para daqui a meia hora. Vou ter mesmo que encarar as feras.

– Tem certeza?

– Tenho. Está vendo, Escritor, como a vida real tem mais ação que a ficção?

– Alguma idéia, alguma pista?

– Estamos num mato sem cachorro, Escritor. Uma coisa eu posso te garantir. O cara é acima da média. Sabe, o trabalho policial é, em sua maior parte, rotineiro e chato, mas muito de vez em quando surgem momentos bastante emocionantes, um encantamento quase infantil de brincar com as alternativas. E eu adoro isso.

– É mais ou menos como escrever. O momento da idéia. Quando você não está esperando nada e ela vem, plena, total, te desafiando, te chamando para correr atrás dela. De certa maneira o meu trabalho também é investigativo. É mesmo quase infantil brincar com a inspiração e a emoção. É interessante: enquanto o investigador corre atrás do assassino, o escritor corre atrás do texto. Um texto só é considerado terminado no momento em que a gente ultrapassa ele. Esse *serial killer* dá um livro e tanto, Fiora.

– É, mas, por enquanto, sem final. Ou tu, com a sua cabeça criativa, tem alguma idéia para o final deste livro?

– Imagina...

Volta o monumento Gertrudes.

– Vamos comer? *Uden mad og drikke duer helten ikke!!!* – dá um beijinho nos lábios de Fioravanti e traduz: – Sem comer e beber, o herói não é bom.

– É a segunda vez que tu me chama de herói. Mas, beber aqui, só água.

– *Jeg elsker dig!*

Fiora esperou ela traduzir. Mas não traduziu. Mas ele sabia o que ela queria dizer.

* * *

A imprensa só se acalmou quando Fioravanti deu algumas informações concretas: era quase certo que eram dois os assassinos e a Polícia Federal já tinha um suspeito. Era questão de dias. Talvez horas.

– O senhor acha que eles estavam hospedados aqui no spa, ou vieram de fora?

– Não, não estavam aqui e nem estão. Vieram de fora. A polícia local ainda está vistoriando os muros e toda a região à procura de alguma pista.

O doutor Cabral pediu a palavra:

– O Spa Porto Feliz está distribuindo uma nota oficial lamentando os fatos e se colocando por inteiro à disposição das autoridades policiais. Temos certeza absoluta que o assassino ou assassinos não estavam hospedados aqui. Todos os pacientes são velhos conhecidos nossos. Não há como suspeitar de nenhum deles. Nenhum!

* * *

Depois, os doutores Pereira e Cabral passaram o resto do dia andando pelas alamedas do spa, discutindo a situação.

* * *

Ferreirinha e o doutor Abud ficaram trancados no apartamento do Chico Rezende. Do lado de fora, o segurança do Chico, Mato-Grosso, e mais um policial civil de Jaguariúna. Kelly fazia um boquete dentro da sauna no Natalino.

* * *

Ferreirinha, Abud e Chico Rezende receberam do Fioravanti chipes de GPS e de localizador. Para usar nos bolsos, nos carros, nos aviões. Enfim, a PF ficaria rastreando os três a partir daquele momento. Onde quer que eles estivessem, no Brasil ou em qualquer lugar do mundo, os três, os carros deles ou o avião do Chico Rezende, a polícia saberia.

“Como eu já tive oportunidade
de te observar, há somente um passo
entre o grotesco e o horrível.”

Sherlock Holmes, de Arthur Conan Doyle

CAPÍTULO 19

HAVIA UNS RUMORES DE QUE OS DOIS FORMAVAM UM CASAL

Em Floripa, no dia seguinte, Darwin Matarazzo provaria ao Fiora que era mesmo um policial que prometia. Com apenas duas conversas, com duas pessoas diferentes, tinha muitas informações para dizer para o chefe por *e-mail*.

Passou a manhã com o doutor Tropovisky[88] e, de tarde, junto com a Denise, com o doutor Montanha.[89]

* * *

Da conversa com o doutor Tropovisky, descobriu:

Godofred Steinbecker foi um detento exemplar. Trabalhava na administração e ajudou a computadorizar todos os presídios e cadeias do estado. Conseguiu que seu amigo de prisão, o Tórci,[90] ficasse com ele na cela especial, porque ele, Godô, tinha direito a esta discrepância carcerária de cela especial por ter alguns diplomas.

---

[88] **Delegado doutor Ermínio Tropovisky**, diretor-geral da Penitenciária do Estado de Santa Catarina, de tradicional família florianopolitana, 45 anos. Homem justo e diretor do Avaí, o outro time de futebol da Ilha.

[89] Diretor-geral do Superbonn, **Waldomiro Montanha**, velho funcionário e amigo de toda a família Steinbecker. 62 anos. Meio vesgo. Apaixonado – mas não correspondido – pela Denise, secretária do Fioravanti.

[90] **Valdisnéi de Araujo Pereira**, o Tórci, um negão alto, forte e falante, condenado na mesma época que Godô, com 21 anos, na época. Na verdade, seu nome era para ser Walt Disney.

Ficaram amigos logo na primeira semana, quando Tórci começou a proteger Godô na hora do banho de sol das possíveis investidas dos demais presos que ameaçavam estuprar o Cotoco Loiro.

E a história do Tórci era muito parecida com a do novo amigo. Caixa de um açougue, era obrigado a virar totalmente o rosto enquanto o cliente digitava a senha do cartão. Um dia, ao estar com o rosto completamente torcido para um lado, ouviu o grito de *isso é um assalto!* Travou. Ficou daquele jeito, com o rosto virado para a direita.

E, pelo defeito, dias depois foi demitido pelo proprietário do açougue, um tal de Zé das Carne[91] (assim mesmo, sem o S), que não queria um sujeito torto no caixa.

Vingou-se cortando o pau do cidadão e colocando o mesmo entre as lingüiças congeladas. Zé das Carne seria encontrado apenas no dia seguinte, morto e congelado dentro do frigorífico no fundo do seu açougue.

Um bela dupla Godô/Tórci: um com o pau cortado e o outro cortador de pau.

Deve ser o seu cúmplice, logo deduziu Darwin.

Ainda segundo o doutor Tropovisky, havia uns rumores de que os dois formavam um casal. Mas ele não acreditava em tal maledicência.

Sim, Tórci também havia saído por bom comportamento algumas semanas antes de Godô. Estava em liberdade condicional. Tudo encaixava.

Com o Montanha, o seguinte:

Há uns dois anos, morrera afogado durante uma pesca de tainha, o velho Steinbecker. Herdeiros, Godô e Sigrid, a única irmã.[92]

---

[91] **José Honório de Vasconcelos**, 58 anos, também gordo e sempre suado, segundo ele mesmo, o mais rápido limpador de picanhas da cidade. Sofre de uma micose na virilha há alguns anos.

[92] **Sigrid Steinbecker**, dois anos mais velha do que Godô, solteira, ex-miss Florianópolis – ficou em segundo lugar no miss Santa Catarina –, advogada.

O Pão de Açúcar, há já alguns anos vinha fazendo ofertas para o velho Steinbecker no sentido de comprar toda a rede. Um ano atrás, os irmãos venderam tudo por uma pequena fortuna. Sigrid foi morar em Munique com um amigo grego.

E era o plano de Godô também. Estava sujo em Florianópolis, capado e com um crime nas costas. O apelido já havia se espalhado pelas 42 praias da Ilha. Com a sua parte da venda, poderia começar vida nova na Europa. Era muito dinheiro.

Montanha acreditava que era isso que o Godô estava fazendo agora lá na Alemanha. Arrumando a sua mudança.

– Tu entende, né? Não tem mais clima pra ele ficar aqui.

Nem clima, nem pau – pensou Darwin.

No *mail*, Darwin ainda informava que estavam à procura de Tórci. Era questão de horas. Diogão iria ajudar.

***

A polícia local não tinha nenhuma pista, nenhum indício, nada. Apenas uma certeza, com a cápsula na mão: o calibre era 7.65. Talvez uma pistola Taurus, como era de se esperar. Fiora pensava se já era a hora de acionar a Interpol para caçar Godô pela Alemanha. *Não, vamos ouvir primeiro o tal de Tórci, o negão de torcicolo fixo.*

No spa, Fiora lia as informações do Darwin.

A dinamarquesa estava apavorada com o assassinato do Zé do Carmo. Era muito crime para a cabeça de uma nórdica tão pacífica e tranqüila. Não era aquilo que esperava do Brasil. Queria ir embora o quanto antes de Jaguariúna. Fiora entendia. Mas, antes, tinha que fazer a tal da biópsia da próstata – *apenas por precaução.* Depois iriam embora, me disse ele.

O spa já estava quase vazio. E as pessoas que haviam feito reservas para os próximos dias desmarcaram, para desespero do Pereira e do Cabral.

O doutor Abud, o Ferreirinha e o Chico Rezende estavam completamente desnorteados, desorientados. Não sabiam se ficavam no spa ou voltavam para casa. Enquanto o Godô não fosse preso...

* * *

O Tórci poderia ser encontrado todas as noites no Gallilleu's Night Bar, na avenida Hercílio Luz, no centro da Ilha.

Era um bar *gay*. Ou, mais precisamente, a clientela do bar era *gay*. Darwin entendeu isso imediatamente, ao observar os homens que entravam e saíam. Não havia mulheres entre os clientes, o que já era um indicador em si, mas dava para saber só de olhar os homens. Embora muitos não fossem perceptivelmente *gays*, coletivamente não podiam ser outra coisa. Eram jovens na maioria, e quase todos esguios. Até os mais velhos tendiam a parecer jovens, pelo menos de longe. Uns poucos travestis. Por que não existem travestis baixos?

Não foi difícil localizar o Tórci. Era o único com o pescoço totalmente virado para a direita.

Tórci não ficou assustado quando viu o distintivo da Polícia Federal.

Foram para uma mesinha ao fundo, perto de uma janela. Tórci era um negão tranqüilo, sorriso aberto. Ninguém diria que ele fosse capaz de decepar um ser humano. *Um ou mais* – pensava o Darwin enquanto via o rapaz tomar um gole de um copo de cerveja estupidamente. E pensava mais:

Eu tive uma tia que dizia que era capaz de farejar mentiras à distância. Ela afirmava que o cheiro era bem nítido. O nariz do mentiroso tremia, segundo ela, e aí vinha o cheiro. Várias vezes ela acertava de maneira notável.

– O pior foi ficar seis anos sem beber nada! Mas qual é o problema, rapaz? – e estalou a língua.

Darwin passou um papel para ele com três datas e três horários.

– Não tem problema nenhum se tu me disser onde estava nestes dias e horários.

Tórci pegou a folha de papel e, com muita tranqüilidade, perguntou:

– Sou suspeito de alguma merda?

– Se tiver bom álibi, não.

Darwin se lembrou da frase de Fioravanti:

Por princípio, desconfio de pessoas com álibi.

– Difícil, né, rapaz? Assim de repente... Tenho que pensar.

– Tem o tempo que quiser. Mas tem que ser agora.

Tórci pediu outra latinha:

– Mas eu posso saber o que está acontecendo?

– O que está acontecendo é que, se tu não me disser onde estava nestes dias, tu tá encrencado, cara!

– Não quer um copo?

– Obrigado. E é bom colocar a memória pra funcionar. Senão vamos ter que conversar lá na Beira-Mar!

Tórci franze a testa. Estava colocando a memória para funcionar.

– Ah, esse dia aqui eu lembro, é claro. Foi uma sexta-feira. A turma lá dos Ingleses fez uma festa pra comemorar a minha saída da prisão. Aliás, foi neste dia que – cai em si. – Entendi! Foi o dia que mataram o tal do professor. Escuta aqui, ô cara, tu tá achando que, porque eu cortei o pau do açougueiro, eu saí da prisão com a idéia fixa de ficar cortando o pau de todo mundo? Tás doido?

– Tu tem testemunha que estava na tal festa? Onde foi?

– No bar do Bira! Não me faltava mais nada! Tou fora, cara. Tinha trocentas pessoas lá.

– Onde fica o bar do Bira?

Darwin anotou no papel um mapinha que o Tórci detalhou para ele. Depois encarou o negão:

– E o Cotoco Loiro, onde anda?

– Cotoco Loiro? Quero ver se tu tem coragem de dizer isso na cara dele.

– Onde anda o Cotoco Loiro?

– Pras Europa. Tá a fim de morar lá. Tá meio desmoralizado aqui, né?

– E pode ficar mais.

– Quer fazer o favor de me explicar o que é que tu tem na cabeça, caralho?

Darwin apenas se levantou, deu um tapinha de despedidas nas costas dele e foi embora.

Tórci pediu uma cachaça junto com a nova latinha.

***

O Bira confirmou, mas disse algo que o Tórci não havia contado. Teve uma hora em que o Tórci saiu para ir buscar uma leitoa na lagoa da Conceição. Era mais ou menos meia-noite e ele levou uma hora para ir e vir. *Sim, voltou com uma leitoa maravilhosa,* o Bira se lembrava bem. *Sim, foi sozinho.*

Dava tempo, concluiu o Darwin.

Para as outras datas e horários, o Tórci também tinha álibis. E constatou mais o Darwin: com as companhias de aviação descobriu que o elemento não havia viajado nem para São Luís do Maranhão, nem para Mindelo. Aliás, não havia viajado de avião pra nenhum lugar.

Mas a história de sair bem na hora da morte do professor Hans para pegar uma leitoa não saía da cabeça dele. Ali tinha.

Contou tudo para o Fiora, por telefone, que analisou laconicamente:

– Documentos falsos.

– Mas o mais importante não foi conversar com o tal do Tórci.

– O que foi o mais importante, Darwin?

Todo orgulhoso:

– É que, a essa hora, o Godô já está sabendo que estamos na cola dele.

– Isso, grande garoto! Puxou o velho Matarazzo! E, se o Godô for inocente, amanhã mesmo ele está aí pra tomar satisfações.

– E se não for?

– A Interpol acha ele! Agora eu vou fazer a biópsia. Foi um bom trabalho, garoto! Bom trabalho!

– *Mandar* beijo!

– A Gertrudes está mandando beijos. Dou.

* * *

Eu iria descrever aqui, neste espaço, como foi a retirada *in loco* do material para a biópsia da próstata do Fioravanti. Ele me contou em seus mínimos detalhes. Porém, como não tem nada a ver com a narrativa, vou pular esse pedaço. Mas não posso deixar de assinalar uma frase – no mínimo interessante – que ele me disse.

– Quando enfiam aquele troço no rabo da gente, só dói até passar do esfíncter. Depois vai que é uma beleza. Lembre-se disso para dizer quando as meninas estiverem com manha.

Mas o Fiora não me contou o seguinte diálogo que teve com o médico logo após recolher o material:

– O senhor, durante uns quinze dias, vai apresentar o esperma vermelho. E durante um mês, mais ou menos, o primeiro jato da urina também estará avermelhado.

Fiora não gostou nem um pouco da história.

– O senhor devia ter me contado isso antes! A minha namorada fez uma puta viagem para ficar comigo e eu vou estar com a porra vermelha?

– Por uns quinze dias...

– Caceta!!! Se eu soubesse tinha adiado por duas semanas, caralho!

– O senhor não precisa ficar nervoso. Com o tempo volta ao normal.

Fiora foi saindo sem se despedir. Parou na porta:

– Quando fica pronto a porra deste exame?

Sigamos a história.

***

Tarok dinamarquês. É um jogo com um baralho especial que a Gertrudes havia trazido. Eu, ela e o Fiora estávamos nos distraindo na sala de jogos, naquela noite.

O jogo é meio infantil, como o lugar que estávamos e a própria Gertrudes. *Esse povo muito branco é sempre meio infantil* – eu pensava olhando para aquela mulher enorme. – *Eles riem de umas coisas completamente idiotas. Deve ser a falta de bunda, sei lá.*

Chico Rezende, sua puta, o guarda-costa Mato-Grosso e o piloto Osório jogavam tranca noutra mesa. Ferreirinha dormia.

Fiora estava sério, talvez ainda traumatizado com a biópsia da próstata. Falou, talvez para ele mesmo.

– Há seis anos, talvez ele não tivesse a idéia de matar os sete. Mas, seis anos depois, a situação é bem outra. O cara saiu da prisão obcecado pela vingança. Na prisão, é fácil se obcecar. Se obcecar é praticamente o único recurso lá dentro. Quando ele saiu, já tinha sete pessoas para matar.

Eu e a Gertrudes não comentamos nada.

“Envelhecer é viver com medo. O pânico indefinido da infância regressa na velhice.”

INSPETOR KURT WALLANDER, DE HENNING MANKELL

CAPÍTULO 20

VIU A MOÇA LEVAR A MAQUINETA ATÉ O PRÓPRIO ROSTO E APERTAR O GATILHO

Gertrudes, febrilmente, cavalgava o Fiora. Estava querendo tudo e mais um pouco e dizia palavras em dinamarquês. Foi com uma certa dificuldade que ele saiu de baixo de um metro e dezoito centímetros de perna, cada uma, segundo a proprietária das mesmas.

Antes que ela reclamasse:

– Preciso te contar um negócio. Me desculpa.

– Agora?

– É. Agora.

E começou a colocar a cueca, enquanto acendia um Camel.

E explicou o problema da porra vermelha.

Ela disse que não tinha importância. Mas ele fez um quase longo relato sobre a necessária alvura daqueles líquidos. Ela insistiu, foi pra cima dele. Mas Fiora pediu licença e foi para o banheiro.

No banheiro, ainda excitado, se masturbou com uma certa culpa. Era pior que vermelho. Era púrpura, tendendo para o roxo, o que saía de dentro dele. Sentiu um grande mal-estar e vomitou. É, não iria rolar sexo nos próximos quinze dias.

Chegou a ser quase uma discussão a conversa com a Gertrudes. Já eram quase cinco da manhã, quando ela teve uma idéia conciliadora.

– *Estar* resolvido. Vou para Bahia e Amazônia. O Teó me contava *coisos* maravilhosas da Bahia. Depois *voltar.*

– Merda...

Na mesma hora, Gertrudes foi para o *notebook* e fez as reservas para a viagem.

Fiora ficou olhando, da cama, ela digitar copiando os dados do seu, dela, Visa. Maldita a hora que resolveu fazer aquela biópsia.

* * *

Denise, a secretária do Fiora, devia ter dado uma saidinha, porque a porta se abriu e uma mulher que parecia ser uma bandeira do Flamengo entrou na sua sala.

Aparentava ter uns 40 anos. Uma basta cabeleira encaracolada caía um pouquinho abaixo de seus ombros. Seu rosto era um triângulo invertido, afunilando da boca pequena até o queixo bem delineado. Sua boca brilhava com um batom escarlate, os olhos estavam bastante maquiados, e, se suas pestanas eram naturais, com certeza tiveram seu crescimento estimulado por altas doses de fertilizantes químicos.

Ela piscou repetidamente aquelas extraordinárias pestanas. Acima delas, duas linhas curvas substituíam as sobrancelhas que Deus lhe dera. Se vossas sobrancelhas vos ofendem, arranquem-nas.

Ela parecia o sonho de um masoquista, interpretado pela pena febril do cartunista Angeli. Sapatos pretos de saltos bem altos e com tiras nos tornozelos. Calças de vinil tipo molhado, tão justas que pareciam pintadas. A blusa de um vermelho-sangue era apertada e colante o suficiente para evitar que alguém se esquecesse, mesmo que momentaneamente, de que os seres humanos são mamíferos.

Ela não se sentou, nem disse seu nome. Seu rosto anuviou-se por um minuto, e então ela baixou os olhos e colocou a mão dentro da bolsa.

Sua mão reapareceu com uma arma.

– Seu filho-da-puta! – ela falou. – Fique onde está, seu filho-da-puta, ou estouro a porra dos seus miolos!

Fiora ficou onde estava, ela ficou onde estava, e a arma ficou onde estava. Em sua mão, oscilando um pouco mas não muito, apontando diretamente para ele.

Não parecia um canhão. Nos livros, as armas que são apontadas aos detetives sempre parecem canhões, e suas bocas são sempre descritas como cavernas. Aquela arma era indiscutivelmente pequena. O tamanho exatamente proporcional à mãozinha dela. Esta última, reparou Fiora, era bem formada, com as unhas pintadas da cor exata da bolsa e do batom. E o revólver, claro, era preto, uma pistola automática plana, com um cano de menos de cinco centímetros. Tudo naquela moça era vermelho ou preto. Seu autor preferido tinha de ser Stendhal.

Em seguida, viu a moça levar a maquineta até o próprio rosto e apertar o gatilho. Saiu uma pequena chama do cano, o suficiente para ela acender o seu cigarro. Para alívio do Fiora, aquilo era um isqueiro. E ela caiu na gargalhada, deixando o nosso investigador com a boca meio aberta. Com o queixo caído, como se diz por aí.

– Seu filho-da-puta!, tu não lembra mais de mim???

A Til? – pensou Fiora.

– Porra, tive um trabalho filho-da-puta pra me vestir de puta, como nos velhos tempos! Nada? Matilde,[93] seu filho-da-puta! Til, Til, Til!!!

Fiora queimou o dedo com o cigarro.

– Puta que o pariu!!! Não acredito!

Levantou e caiu nos braços dela. Há quanto tempo não se viam? Vinte anos?

---

[93] **Matilde Paula Leandro Staudinger**, a Til. Estudou filosofia na Universidade Federal de Florianópolis, com TCC sobre Espinosa. Ao mesmo tempo, era garota de programa. Teve um longo e apaixonado caso com Fioravanti, na época. Terminado o curso, conheceu um primo distante, casou-se e foi morar em São Paulo. Fiora nunca mais soube dela. E também nunca a esqueceu. Realmente seria difícil se esquecer de uma mulher como ela. Maravilhosa, em todos os sentidos.

* * *

Uma semana havia se passado desde o assassinato do Zé do Carmo, no Spa Porto Feliz, em Jaguariúna.

A biópsia do Fiora não dera em nada. Mas a porra continuava vermelha, como ele constatava com as próprias mãos, todas as noites depois de ler *O homem que soltava pum* para o Valentim.

Ferreirinha, doutor Abud e Chico Rezende estavam cada um em suas cidades, rodeados de seguranças pessoais e das polícias locais.

Tórci avisara ao Darwin que Godô chegaria naquela noite de Bonn, Alemanha. No dia seguinte se apresentaria à Polícia Federal.

Gertrudes, cada vez mais apaixonada, estava na Bahia, fascinada. Dizia que Salvador era uma filial de Mindelo. Telefonava todos os dias para o Fiora, que sempre terminava com um *jeg elsker dig*, eu te amo:

– E *o* porra? *Vermelha*?

Púrpura!

Nobreza e prosperidade são atributos da cor púrpura. Desde a antigüidade, ela tingia o manto dos reis e, por extensão, designava o trono e a dignidade reais. Bispos e cardeais católicos a usam em seus paramentos, atestando a autoridade espiritual. Para os chineses, traz boa sorte a tudo o que se inicia, Fiora havia lido na revista *Bons Fluidos*, na casa do Darwin. Pois sim!!!

* * *

Til havia sido um das poucas e grandes paixões de Fioravanti. Enquanto ela fazia a faculdade na UFESC, ganhava seus trocados fazendo programas selecionadíssimos. Fiora queria que ela largasse tudo e ficasse com ele. Ela tinha em torno de 20 anos. Ele, pelos 40. Mas com o fim do curso acabou-se o que era doce. Nunca mais se viram depois que ela se mudou para São Paulo. Ele nunca havia se esquecido dela. Às vezes chegava até mesmo a se perguntar o que aquilo significava. Agora ela estava ali. E a Gertrudes na Bahia. E a porra, vermelha.

Comendo o rodízio no Beira-Mar Grill, Til – já sem a roupa Stendhal – resumia rapidamente os vinte anos longe de Florianópolis e do Fiora. Sim, casara com o primo,[94] tivera dois filhos: Ugo, com 19 anos, e Greta com 16. Fioravanti ficou emocionado com a homenagem no nome do filho, engasgou com a comida e continuou a ouvir. Estava separada do primo, que voltou para Munique há dez anos. Há pouco tempo estava se relacionando com um empresário de casas noturnas em São Paulo e o motivo da vinda dela para Floripa era abrirem um supermaravilhoso puteiro na cidade. Ela não falou puteiro, disse casa noturna, mas Fiora conhecia o seu gado. Estava com pequenos problemas burocráticos com a papelada e Fiora poderia dar uma mão.

– Quer dizer que me procurou apenas por isso, é?

Til segurou na mão dele.

– Meu amor! Não seja bobinho...

A casa seria na lagoa da Conceição e iria se chamar *Black Tie* e só trabalhariam com universitárias documentadas e com pós-graduação em Amsterdã. A idéia da Til era que o cliente escolhesse as meninas pelo curso que faziam.

– O que o amigo deseja? Uma estudante de filosofia, especializada em Espinosa, uma gaúcha boa de pontes e estradas, ou uma quase dentista com broca e anestesia? Ou uma médica de jaleco e estetoscópio?

Aquilo foi dando tesão no Fiora. Mas a porra da púrpura porra, e ele logo foi se contendo.

Foi quando tocou o celular dele. Era o Darwin.

O Ferreirinha, de Recife, estava morto. Sim, com todos os ingredientes do nosso querido Sete de Paus e com todos os seguranças ao lado dele. Teriam que ir ao Recife constatar o óbvio?

---

[94] **Franz Staudinger**, 59 anos hoje, empresário alemão, no Brasil há quase trinta anos. Não era muito chegado a jogos de cama. Basta saber isso.

Fiora disfarçou o baque:

– Tu sabia que eu também tenho um filho? Valentim, cinco anos.

– Um só?

– Vale por cinco – disse, tentando se animar.

– E de paixões? Casado, namorando, amasiado ou virou *gay*?

– Apaixonado, Til. Uma dinamarquesa...

– Dinamarquesa? Conheceu aqui na Ilha? Uma puta turista?

– Conheci na África.

– Fiora e suas aventuras!!! Vai, conta tudo! Desde o primeiro olhar. Aquele.

– Paixão braba.

E contou tudo para a amiga.

* * *

Darwin foi para Recife. Fiora ficou na Ilha, esperando Godô.

* * *

Como o encontro – ou interrogatório – com o suspeitíssimo Godofred Steinbecker ainda iria demorar umas cinco horas para começar, Fioravanti resolveu dar uma geral na vida do Cotoco. As informações oficiais que dispunha eram todo o processo do assassinato da Valéria há seis anos. Mas ele queria conhecer o lado social do elemento.

Nada como o bom e velho Google. Godô tinha mesmo uma vida social bem animada. Freqüentador quase assíduo das colunas mundanas do Cacau Menezes e da Juliana Wosgraus, no *Diário Catarinense*. Também presente na jornalista de economia Estela Benetti. Nenhuma citação na divertida coluna do Luis Carlos Prates e – durante quase um ano – nas páginas policiais.

Fiora leu tudo, imprimiu algumas páginas. Queria estar preparado para conversar com o rapaz. Já ia saindo do computador quando resolveu clicar em "imagens". Eram quase duzentas. Algumas, ele viu em tamanho natural. Em poucas, ele estava sozinho. Procurou a mais próxima ao dia do crime. Na foto minimizada, ficou sabendo que ele esteve no El Divino, dois dias antes do crime. A foto era bem pequena. Ele, a Valéria e mais um casal.

Ampliou a foto. Agora via nitidamente. O jovem casal, acompanhado pelo pai dele e, ele conhecia aquela mulher abraçada ao pai. Mas não queria acreditar. Não quis ler a legenda da foto onde estaria o nome dos quatro. E também ficou com medo de mais um toque para ampliar. Levantou-se.

Saiu da sala e foi para o banheiro dos homens. Trancou-se numa das baias, abaixou a tampa da privada, sentou-se. Apoiado com os cotovelos nas pernas, levantou as duas mãos e cobriu o próprio rosto.

Putaquelpariu!!! – Ele precisava pensar. E muito.

Tinha certeza, certeza absoluta de que naquela foto, publicada na coluna social da Juliana Wosgraus, ao lado do pai de Godofred Steinbecker, dois dias antes do crime, estava ela, Gertrudes! Era ela, com absoluta certeza! Levantou-se, deu descarga, apesar de não ter feito nem xixi, saiu, lavou o rosto, ficou se olhando no espelho.

Tu és um babaca, Ugo Fioravanti Neto!!!

“Nós e os psiquiatras somos remendões de destinos.”

Inspetor Maigret, de Georges Simenon

CAPÍTULO 21

GOZOU DENTRO DO SAQUINHO DE VOMITAR

Primeiro ela soltou o cinto de segurança. Virou o corpo todo para trás, abriu a geladeirinha, colocou mais gelo no copo e encheu de uísque. Voltou o corpo para a frente, deu um gole gostoso – era a segunda dose – e desabotoou dois botões da sua blusa. Que tinha quatro. Alguém ao seu lado, se esticasse o pescoço um pouco, só um pouco, poderia ver seus seios grandes e rijos.

E ela notou que o piloto estava com o pescoço um pouco, só um pouco, esticado. Com a mão esquerda, gelada pelo contato com o copo, começou a fazer cocegazinha na nuca do rapaz. Ele não se movia, segurando o manche. Ela tirou a mão esquerda da nuca e, junto com a direita, tirou a pequena saia amarela. Desabotoou o resto da blusa. Estava sem sutiã. Estava com tesão. Foi quase abrupta ao colocar a mão esquerda no sexo do piloto, por cima da calça. Claro que já estava duro, bem duro.

No jatinho do Chico Rezende, fazendo a rota Salvador–Uberaba, Gertrudes pensava no que o Fiora estaria pensando se soubesse que ela estava ali, segurando um pau duro, cruzando o norte das Minas Gerais, a setecentos quilômetros por hora. Mas ela tinha que fazer aquilo. Era mais forte do que ela.

O piloto Osório Corrêa, companheiro do fazendeiro em várias aventuras sexuais, não podia imaginar que aquilo fosse verdade. A onze mil metros de altura, aquela loira estonteante fazia um boquete como ele nunca havia visto ou sentido. Há mais de dez minutos que as suas mãos haviam largado o manche para aterrissarem naquelas duas montanhas de seios nórdicos e bicos cor-de-rosa. Ela estava nua, agora. Ele, com a calça arriada. Ela chupava e se masturbava.

Osório gozou dentro do saquinho de vomitar. Não podia deixar vestígio no avião do Rei do Nelore.

Depois, ainda ofegante, nem precisou dizer que o patrão não poderia saber daquilo em hipótese alguma. Enquanto se vestia, Gertrudes tranqüilizava o piloto. E disse mais: que ele esperasse por ela no aeroporto, lá em Uberaba. Iam fazer outra viagem. E ela ia deixar ele nas nuvens. Iria fazer com ele um *strak*.

Esse troço deve ser bom, pensou o piloto.

– *Levar* passaporte!

– Passaporte?

– O senhor não vai arrepender...

Combinado. Combinadíssimo. Passaporte?

* * *

Não sei se na Dinamarca existem motéis como os do Brasil. Mas, se ela não conhecesse um, tinha acabado de ser apresentada. Era o quarto do Rei do Nelore, na Fazenda Estiva. Com espelho no teto e tudo que tinha direito. Contrastando com suas botas sujas de bosta de vaca, tudo era *hi-tech* até demais para o gosto da nórdica. Na cabeceira da cama, vários botõezinhos para ele administrar suas engrenagens sexuais.

Mas o mais importante – e isso não tinha nos demais motéis – era uma complicada engenhoca que descia do teto ao simples toque de um interruptorzinho amarelo. Aquilo prendia as duas pernas dele pelos calcanhares e o içava. Ficava dependurado, com a cabeça para baixo e seu sexo – só assim – ficava bem à vista, destacando-se daquele monte de banha.

– Chupa, sua vagabunda! Chupa seu jumentinho!!!

– O que ser *jumentinha*?

– Chupa, porra!!! *Menas* pergunta e mais tesão! Gostosa!!!

– *Esse* merda não vai cair?

– Chupa, caralho!

Foi uma manhã inesquecível para o Chico Rezende. Aquela mulher era tudo o que ele imaginava e muito mais. E ainda diziam que as nórdicas eram frias. Seria apenas aquela manhã, o combinado. Gertrudes tinha mais o que fazer pelo Brasil afora.

Enquanto Chico se arrastava para o banheiro, nu e asqueroso, balançando aquilo tudo, Gertrudes ligava para o Fiora, do seu celular de Floripa:

– Como Salvador é *lindo*, amor!!! Saudades, saudades, saudades!!!

Fiora contou que o Ferreirinha havia sido assassinado pelo Sete de Paus. Gertrudes fez um oh!, e perguntou sobre a porra vermelha.

* * *

Bastaram quinze minutos para Fiora ser informado que o celular da Gertrudes havia sido digitado de Uberaba, Minas.

Denise avisou que o Godô estava esperando na sala de reuniões e o Darwin estava quase chegando de Recife.

* * *

Antes do Chico levar Gertrudes para o aeroporto, disse que queria mostrar uma coisa *maravilhoso* para ela.

Quando a camionete foi chegando com os dois no meio do pasto distante e deserto, a bezerrinha Marilyn foi se aproximando lentamente, abanando o rabo. Carne nova. Mugiu.

Nua, sentada na caçamba da camionete, Gertrudes tinha que admitir que nunca havia feito nada igual àquilo. Ela tremia toda e o rosto do Chico ia se transformando, até os dois chegarem ao orgasmo quase ao mesmo tempo. Ah, esses brasileiros.

Gertrudes se vestiu lentamente, meteu a mão na sua valise, tirou a pistola, apontou para a testa do Chico. Antes que saísse qualquer palavra do seu rosto lívido, ouviu o tiro abafado. Foi o último som que escutou na vida.

Marilyn mugiu.

Como já havia acontecido com os outros gordos, não foi fácil localizar no Chico. E o corte foi preciso, de cima para baixo, num só golpe. Enfiou o troço na boca do fazendeiro. Limpou o sangue das suas mãos no couro quente da Marilyn e balbuciou com muita dificuldade:

– Guaiçara.

E colocou o sete de paus lá.

Pegou a camionete e saiu derrapando pelo capim.

Marilyn mugiu pela terceira vez.

"O ciúme é um estranho transformador de caráter."

SHERLOCK HOLMES, DE CONAN DOYLE

CAPÍTULO 22

O CARA AINDA ERA COMUNISTA. FOI COM A MENINA PRA CUBA

Na sede da Polícia Federal de Florianópolis, Fioravanti já havia sido informado da morte de Chico Rezende e de um suposto ataque do coração fatal que o doutor Abud tivera ao saber da morte do amigo de Uberaba. Mas Fiora já sabia que talvez não fosse bem aquilo.

Ele estava rastreando pelo GPS o avião do Chico Rezende que estava com a Gertrudes e o Osório.

* * *

Na sala do delegado Delgado, fez um único pedido. O avião mais rápido que a Polícia Federal brasileira tinha. Não deu explicações ao chefe. Apenas pediu que confiasse nele.

Delgado ligou na mesma hora para Brasília. Dentro de uma hora, o avião estaria no aeroporto Hercílio Luz em Florianópolis.

* * *

Godofred Steinbecker era exatamente o contrário do que ele imaginava. Um rapaz doce e franzino. Calmo, centrado, mais do que tranqüilo.

Os dois estavam no banco de trás da camionete da Polícia Federal que levava Fiora para o aeroporto da Ilha. Godô abriu a janela do carro blindado assim que foi aceso o primeiro Camel.

– Seis anos convivendo com fumantes, o senhor pode imaginar a ojeriza, a aversão que eu fiquei.

Fiora não abriu o jogo. Queria descobrir mais através do Godô.

– Tu me mentiu, Godofred.

– Como assim? – perguntou Godô, calmo.

– Ou melhor, me negou uma informação. Seu vôo de Munique para o Brasil passou por Recife. Portanto, tu estava lá no dia que mataram o Ferreirinha.

Godô olhou para fora, ficou observando os carros na avenida Beira-Mar.

– O que eu acho que mais mudou aqui na Ilha, durante os seis anos que fiquei, digamos, isolado, foi o trânsito. Já tem gente ultrapassando pela direita. Olha lá.

Devem ser paulistas. Ou argentinos.

Fiora olhou no GPS a posição do avião do Chico Rezende. Pelo que viu, o avião se deslocando para o leste de Minas, não era difícil concluir que logo estaria sobre o Atlântico.

Fiora ficou olhando para Godô. Impossível deixar de pensar que ele não tem pau. Dava vontade de pedir para ver o cotoco.

– Fala tudo porque eu não tenho muito tempo. Confessa.

– Não tem confissão nenhuma, meu amigo. O que pode haver é uma delação. Eu sei quem está cometendo os crimes. Com absoluta certeza! E mais: a pessoa está fazendo tudo para parecer que fui eu. Uma vingança. Sim, eu estive no Recife antes de ontem. E ela deu o maior azar. Nos encontramos no aeroporto. Nos vimos. Não nos falamos, mas nos vimos.

– Ela?

Parou de falar. Fiora não fez mais nenhuma pergunta. Esperando ele continuar.

– Foi a Dina!

– E quem é Dina?

– A mãe da Valéria. Pra se vingar da morte da filha. A Valéria, sabe?

– Sim, claro.

– Foi ela. E ela tem sido bem calculista. Esperou eu sair da prisão para começar os crimes. Para tudo parecer que sou eu quem está fazendo tudo. Um bom plano. Ela só não esperava se encontrar comigo no aeroporto no Recife. Entende, eu matei a filha dela. Uma filha que ela demorou dezenove anos para encontrar. Era tudo que ela tinha.

– Godofred, vamos desde o começo. Que história absurda é esta da mãe só encontrar a filha dezenove anos depois? Que eu saiba, a Valéria tinha 19 anos...

– Quase vinte. A Dina não a via desde bebezinha. O pai dela roubou, entende?

– Não, não estou entendendo nada, meu caro. Não queira me confundir, porque sou puta velha.

Godô fecha a janela.

– O pai[95] da Valéria teve que sair do Brasil no tempo da ditadura. Começo dos anos 70. Era daqui, ele, da Ilha. Se ainda estivesse vivo teria a idade do senhor. Era muito conhecido aqui. O Cunha!

– Me lembro dele. Partidão roxo.

Fiora acende outro cigarro. Godô abre a janela de novo.

– Então, o tal Cunha foi para a Suécia, onde começou a trabalhar como condutor do metrô em Gotemburgo.

– Onde o Brasil jogou em 58.

– Como?

– O Garrincha até fez um filho lá. Prossiga.

– Então. Esse cara, que viria a ser o pai da Valéria, o Cunha, ficou muito tempo por lá. Mesmo depois da anistia, continuou lá. Entre a Suécia e a Dinamarca. Vai ver gostava de frio. E era daqui o cara, olha que engraçado.

– Dinamarca, é?

---

[95] **Deoclécio Cunha**, líder estudantil, depois membro do Partido Comunista de Santa Catarina. Foi trocado pelo embaixador do Japão em 1971, exilando-se por vários anos na Europa e na América Central.

– É. E foi lá, muitos anos depois, que ele conheceu uma espécie de *hippie* fora de época. A moça, que era muito doida, drogadíssima, engravidou dele. Resumindo: depois que nasceu a criança, ele fugiu de lá com a menina. Era a Valéria. Tá me acompanhando?

– Até aqui, tudo bem.

– A Valéria era filha dele com a dinamarquesa. Ele dizia para a filha que a mãe dela havia morrido. Mas não tinha. Tava desesperada atrás da menina. Ele não queria que aquela mulher fosse mãe da filha dele, entende? Não tinha a menor condição de criar. Então, o cara ainda era comunista. Foi com a criança pra Cuba. Ficou uns anos lá. Depois voltou pra cá. Um ano antes do que aconteceu comigo e a Valéria, o cara morreu. Atropelado, acredita? Ali na frente do Mercado Municipal. Aí, uma irmã dele, do Cunha, resolveu, sei lá por que, procurar a mãe dela lá naqueles países.

– E achou?

– Achou. É a Dina, que já falei nela. Ela veio pra cá e conheceu a Valéria. E me conheceu. E a gente começou a ter um caso. Eu e a Dina. Era uma tarada!

– Uma tarada, é?

– Não perdoou nem eu, o namorado da filha! E é ela quem tá matando todo mundo e cortando os paus. Pra todo mundo achar que fui eu! Negócio bem planejado. Eu matei a filha dela, tá percebendo a vingança? Na verdade, o nome dela não é Dina. Eu que chamava, entende? Dina-marca, né?

Fiora fala baixo:

– E o nome da Dina é Gertrudes!!!

– É!!! Como tu sabes?

Estavam chegando ao aeroporto.

– Tu estás dispensado, Godofred. Que tudo dê certo lá na Alemanha. Pode aproveitar a carona. Ele[96] te leva para aonde quiser.

---

[96] **Fernando von Kruger**, o Alemão, 28 anos, há cinco como motorista na Federal, já havia participado de um rali Paris–Dacar.

– Mas não é feio o nome dela? Como tu sabias?

– É, é muito feio... Meu filho já tinha dito isso...

Ás de ouros... Pensava Fioravanti olhando a caminhonete levar embora o inocente Godô.

* * *

O seu jato já estava esperando. Mas, antes, ele ficou mais de meia hora na salinha da Polícia Federal rastreando o vôo da Gertrudes e discutindo com o piloto[97] da Federal, quais as possibilidades de rota.

* * *

A porta se abriu e entrou o Darwin, chegando de Recife.

– Liguei para a Federal e a Denise me disse que tu estava aqui.

– Vamos para a ilha da Madeira. Conhece Funchal?

– Funchal? Mas que *cazzo* está acontecendo? Mataram alguém lá?

– Nosso avião é mais rápido. Vamos chegar antes deles.

– Quê?

---

[97] **Fábio Brant de Carvalho**, 42 anos, de Brasília, casado, piloto há dezenove anos.

“Como policial, você tem que estar sempre preparado para pensar de trás para a frente.”

INSPETOR KURT WALLANDER, DE HENNING MANKELL

CAPÍTULO 23

JAMAIS SERIA CAPAZ DE INVENTAR UMA PERSONAGEM DESSAS

A Larissa havia sido convocada às pressas para ficar – mais uma vez – com o Valentim. E foi por ela que eu fiquei sabendo da Gertrudes. O Fioravanti não havia se contido e contou para ela.

– Ele tem razão quando diz que a realidade tem muito mais ficção do que o que nós, escritores, inventamos – eu comentei. – Quem é que podia imaginar um negócio desses? A mulher sair lá do palácio da rainha em Estocolmo pra vir matar gente aqui?

– Açougueira... Das braba!

– Eu acho que nunca tinha convivido com uma assassina. Engraçado isso. Eu escrevo livros policiais, crio personagens assassinos, conheço a cabeça deles, claro, eu que fiz daquele jeito, mas jamais seria capaz de inventar uma personagem dessas. Me parecia tão tranqüila lá no spa, jogando baralho com a gente...

– Baralho, tá vendo? Ela é fissurada em cartas de baralho. Sete de paus...

Me encostei na porta, fiquei olhando para o sol que se punha bem na frente da varanda. Valentim e Tomás brincavam na areia. Mas eu estava distante do mundo real. Nenhuma nuvem no céu.

– Tá vendo? Claro, claro. Agora começam a aparecer as evidências. Depois que se descobre quem é o assassino, ou assassina, tudo se encaixa. Mas como é que o Fiora, com toda a experiência dele, nunca desconfiou de nada? Me lembro lá no spa, eu e ele conversando sobre o provável assassino e olhando para ela nadar.

Tá acompanhando. A gente falando da inteligência do criminoso, olhando, sem saber, para a criminosa. Se fosse um livro, aquela cena teria sido de propósito, como uma pequena dica, um indício bem fraquinho, cutucando o leitor mais atento.

Ela não estava dando muita bola para o que eu estava falando. Estava concentrada na enrolação de beise.

– Mas é real, gato...

– É, tudo se encaixa agora. E o Fioravanti deve estar puto com essa história toda. Eu não sei se você entende, Larissa, mas é uma loucura para um escritor, estar metido no meio da história. Parece real, entende?

A coisa mais real que eu via agora era o pescoço nu dela.

E caí de boca, como se fosse um assassino. Bem dos vagabundos.

* * *

Depois de colocar o Darwin a par de tudo, Fiora não falou mais nada durante toda a travessia do Atlântico. Darwin estava abismado. Fiora dormia no banco de trás. Ou fingia. Ele não tinha nada que fazer naquela altura. O aeroporto de Funchal já estava avisado e preparado.

Aterrissaram na ilha da Madeira já de madrugada.

Aquilo parecia um filme do Spielberg com produção do Cecil B. DeMille. A quantidade de holofotes brancos, vermelhos e azuis, os carros de bombeiros e da polícia era cinematográfica. A primeira coisa que o Fiora fez foi pedir para apagarem todas as luzes extras, sirenes e o caceta a quatro e sumirem com os carros de bombeiros e policiais.

– Parece coisa de português, Darwin.

– São portugueses, Fiora.

Quando o avião pilotado pelo Osório aterrissasse, aí sim, todo mundo poderia – e deveria – aparecer.

E assim foi feito. O Osório pediu à torre autorização para o pouso, todos ficaram de prontidão. Fioravanti pensava nas primeiras palavras que diria para a dinamarquesa. Mas não chegava a nenhuma conclusão.

Quando Osório começou a girar para a esquerda, em terra, no final da pista, luzes e sirenes se acenderam em todos os pontos. A descida da nave em *Encontros imediatos*. Osório percebeu a situação. Foi diminuindo a velocidade até parar e desligar as turbinas.

Fioravanti deu a ordem para três policiais[98] armados:

– Entrem com cuidado, porque a mulher está armada. E ela não tem nada a perder.

Mas Pederneira não entendeu:

– Não tem nada a *perdeire*, gajo? E o que poderia *perdeire* a essa hora da madrugada numa pista de descolagem?

Fioravanti, antes de se irritar, viu a porta se abrindo e Osório saindo com os braços levantados. Várias armas estavam apontadas para ele. Osório colocou a mão acima dos olhos para evitar as luzes e enxergar melhor.

Fioravanti chegou até a base da escadinha:

– Manda ela descer primeiro.

– Ela quem?

– Sem gracinhas, ô babaca!!! E é melhor ela deixar a arma aí dentro.

Osório não respondeu. Veio descendo degrau a degrau com uma calma desafiadora. Irritante calma:

– Não há ninguém lá dentro, seu delegado.

Fioravanti fez sinal para aqueles soldados portugueses entrarem no avião. O soldado ainda tirou uma com o Fiora:

– Não há nada a *perdeire*...

E realmente não havia ninguém lá dentro.

Fiora olhou para Darwin. Os dois olharam para o piloto.

---

98 **Sousa**, 31, **Pederneira**, 28 e **Arruda**, 36, todos nativos da ilha da Madeira e, portanto, com as cabeças enormes como sói acontecer por lá.

Ele deu de ombros.

– Estão procurando quem?

Levou uma inesperada porrada do Fiora no queixo, disse um filho-da-puta!, estatelou-se no chão e desmaiou, com um belo e futuramente inesquecível rasgo no nariz.

* * *

Na pequena sala da Guarda Nacional Republicana, no fundo do aeroporto, Osório acordou como num filme: com um jarro de água na cara. Que ardia.

Fioravanti esperou ele acordar direito e entender o que estava acontecendo. Olhava para ele, ainda no chão, recostado na parede, passando a manga da camisa no rosto sujo e inchado. Nas mãos do Fiora os documentos do piloto.

– Osório Correa, acabou de fazer 35 anos, nascido em Diamantina, Minas Gerais, brevê pra vencer, sabia?, identidade 31.053.900 – fez uma longa e estudada pausa. – Meu caro piloto, se está pensando que eu vou chutar teu rosto aí no chão agora, como se a gente estivesse num filme preto-e-branco, dos anos 50, com o Humphrey Bogart, errou. Senta ali.

E apontou uma cadeira de plástico branco. Ele se levantou como se a porrada não tivesse sido de nada, sentou-se e ainda pediu um cigarro ao Fiora. Fiora deu. E pegou outro para ele.

– É proibido fumar aqui dentro, Fiora – o Darwin mostrou a plaquinha na parede.

– Foda-se! Conforme eu ia dizendo, vamos conversar como personagens civilizados. Em primeiro lugar quero te dizer que tu não tem nenhuma acusação contra. Não é crime pegar um avião, decolar do Brasil e aterrissar numa ilha de Portugal. O senhor está limpo. Mas eu posso muito bem sujar a tua barra para o resto da tua vida. Em primeiro lugar, mandando a Aeronáutica cancelar o teu brevê. Portanto, fica esperto.

Acendeu o cigarro para ele. E outro na boca ainda com sangue do Osório.

– Onde ela está? Onde foi que tu deixou a filha-da-puta? Só tenho essa pergunta. Só essa! Tu tens quinze minutos para se lembrar e com os detalhes mais importantes. – Pegou Darwin pelo cotovelo e saíram.

Osório ouviu a chave girar duas vezes.

* * *

Às nove da manhã, o Osório voltou para o Brasil. Meia hora depois, saía o jatinho da Polícia Federal com destino a Cabo Verde. Fioravanti tinha certeza de que o sujeito não tinha mentido. O Darwin tinha suas dúvidas.

* * *

Na sala do doutor Germano. Este, Fiora e Darwin. Vinho. Darwin morrendo de sono. Há quase 24 horas que ele estava no ar. Viajando. E ainda tinha que ouvir aquela história toda, desde o começo até eles chegarem ali. E o Fiora ainda estava no crime de São Luís.

Depois de uma hora e meia, o doutor Germano estava sabendo de tudo. E ficou mais abismado do que a dupla.

– Mas que rapariga!

– Concluindo a história. Não tenho nenhuma dúvida que ela está exilada na Embaixada da Dinamarca. Fica aqui perto?

– Tu se esqueceste que aqui não é a capital, Fiora? Tás a precisar de uma boa cama. Vou falar com a Donana.

– Nem pensar, Germano. Estamos com o avião ali no aeroporto.

Darwin pede a palavra:

– Quantas horas daqui até a capital?

Germano não ouviu, tão pirado tinha ficado com a notícia. Fiora fez que não era com ele. Colocou a mão direita no ombro do cabo-verdiano:

– Tu conheces o embaixador?

– O senhor embaixador? Ole Olsen???[99] Mais alto que eu.

Darwin estava pensativo:

– O que eu não entendo – disse. – Por que é que ela não foi direto para a Dinamarca? Não estaria mais segura lá? O que ela veio fazer aqui?

Quem respondeu foi o doutor Germano.

– Vocês me deram muitas informações. Agora é a minha vez de dar duas só e que respondem à tua pergunta, Darwin. O Teodoro, que ela mesma matou e era um industrial muito rico, deixou um testamento. Não tinha nenhum parente, nada. Pois é.

– Ela herdou tudo!

– Elementar, meu caro Darwin. Elementar.

Fiora acendeu um cigarro, encheu o copo de vinho:

– E a segunda informação?

– Ole Gustav Olsen, o senhor embaixador, é amante da nossa querida Gertrudes.

– É mesmo uma tarada!, como disse o Cotoco.

– Quem?

---

[99] **Ole Gustav Olsen**, solteirão de 52 anos. Segundo o doutor Germano, já comeu todas as funcionárias da embaixada.

“Ela disse a ele, no tipo de voz que uma mulher usa para dizer que está chovendo: eu menti.”

Inspetor Wexford, de Ruth Rendell

CAPÍTULO 24

NO SPA JÁ HAVIA FLERTADO COM O PILOTO

Nunca Fioravanti havia visto a Gertrudes tão bonita e bem arrumada, como ali na sala azul da Embaixada da Dinamarca na cidade de Praia. Quando ele entrou na sala, ela já estava tomando um tinto. Levantou-se e sorriu para ele como se nada houvesse acontecido. Levantou a taça.

– Bem-vindo ao reino da Dinamarca. Já bebeu vinho dinamarquês?

Fiora sentou-se e não disse nada. Ela serviu uma taça de vinho e levou para ele. E o pior é que ele aceitou. Até tim-tim ela fez. Fria como uma nórdica.

E ela começou a dizer:

– que, sabia dos telefonemas anônimos que a sua filha Valéria havia recebido. Depois da morte da filha, pegou o celular dela e copiou os números. Entrou em contato com o cônsul da Dinamarca em Florianópolis e pediu para o consulado rastrear aqueles números. Guardou os nomes e endereços por seis anos. Durante esse tempo teve toda a calma do mundo pra planejar a sua vingança;

– que, viajando de avião para São Luís, comprou dois celulares nos aeroportos de Curitiba e Belo Horizonte, sabendo que poderiam ser úteis mais tarde;

– que, foi morar em Mindelo, em Cabo Verde, há alguns anos, para aprender o português. Além disso, conseguiu muitas informações com o Teodoro sobre os outros seis;

– que, sim, ela sabia ser a única herdeira dele;

– que, o doutor Abud não morreu do coração, não. Também foi morto por ela. Provavelmente as filhas gêmeas não quiseram fazer a ocorrência policial para preservar a imagem do pai e da clínica;

– que, no spa, já havia flertado com o piloto Osório, pois já sabia que iria precisar dele;

– que, sabia que, quando o Godô chegasse ao Brasil, era quase certo que ele desconfiasse dela. Portanto, quando foi para a Bahia, sabia que nunca mais voltaria para Floripa;

– que, tinha gostado de verdade do Fioravanti;

– que, havia procurado a filha por dezenove anos e que, quando achou, ela foi assassinada brutalmente. Ela não tinha mais nenhuma razão para viver, a não ser se vingar do Godô;

– que, não estava, de maneira alguma, arrependida;

– que, o Brasil não tinha tratado de extradição com a Dinamarca, portanto que ele não encostasse nela a não ser que;

– que, estava morrendo de tesão pelo Fiora e se ele não queria ir até a suíte dela.

Falou isso a sério.

* * *

– Eu ainda não sei como a polícia brasileira vai agir. Mas tu não vai se sair bem disso, Gertrudes.

Ela sorriu.

– Não *ter* extradição entre o meu país e o seu.

Fiora serve mais uma dose.

– Tu pensaste em tudo, né?

– Tudo. *Menas* que iria me apaixonar por *tu*.

– Vá à merda!

Entrou o embaixador:

– O jantar *estar* servido. Me acompanhem.

Fiora apontou o dedo para Gertrudes.

– Pode ter certeza que ainda vamos nos ver.

Ela jogou um beijo com a mão.

– Adoraria.

Fiora foi embora.

> Ficou claro que estou sendo rude com a senhora, e em tais condições eu sempre me lamento por não conhecer a arte de ser rude de maneira elegante. Tenho todos os traços da simplicidade, incluindo a rudeza.
>
> NERO WOLFE, DE REX STOUT

CAPÍTULO 25

– E A GERTRUDES, PAI? TOU COM SAUDADES DELA

— As crianças gostavam muito dele. Quando era aniversário de um dos seus filhos, na hora do parabéns a você, ele ficava sempre por perto para puxar o pique-pique. Pique-pique, pique-pique, pique-pique-pique e pique, rá-tim-pum! Vocês pensam que ele tinha algum complexo, que ele se sentia diferente dos outros? Nada disso. Ia ao cinema, ia ao teatro, ia ao circo, ao jogo de futebol, dançava. Gostava muito de dançar. E, quando dançava, ia soltando os seus puns em ritmo de trombone. O maestro atacava lá em cima e ele remendava aqui embaixo: pum-pum, pum-pum-pum, pum-pum, pum-pum-pum!

– Mais, mais!!!

– Amanhã eu acabo. Ainda vem um incêndio enorme na cidade do João do Pum. Aguarde o próximo capítulo.

– Só um pouquinho, pai!

– Valentim, tem visita. Vai dormir. Preciso ficar um pouco com a Til.

– E a Gertrudes, pai? Tou com saudades dela.

Fiora não sabia bem o que dizer. Não podia dizer que estava mesmo com ganas de matar aquela filha-da-puta.

Deu um beijo gostoso no filho.

Til, com uma bermuda mínima e uma camiseta que parecia ter sido feita para mostrar os bicos hirtos dos seus seios, estava olhando os livros, tomando vinho.

Fiora se serviu de um uísque com gelo, olhando para as coxas morenas da velha amiga.

– Adorei o teu filho.

– É um bom menino.

Mas a cabeça dele não estava nem na Til, nem no Valentim.

– Não dá para tirar a dinamarquesa da cabeça nem um pouco? Nem por uma meia hora? – Ela se aproximou dele, fez tim-tim com os copos e deu um beijinho rápido nos lábios dele. – Nem um *flashback* com a velha puta? Um *remember*? – Meteu a mão abruptamente no sexo dele por cima da calça. Aquilo se manifestou.

– Tou com a porra vermelha, Til.

– Ainda??? Só acredito vendo.

Tocou o celular.

– Alô? Oi, como vai, Delgado?

Fiora diz apenas mais um sim e outro até já, então.

Fiora se serve de mais um uísque, acende mais um cigarro. Til olhando para ele.

– Vou me encontrar com o delegado Delgado no Armazém Vieira. Me espere aqui.

Til ameaça dizer alguma coisa.

Fiora faz sinal de silêncio para ela. Senta-se, passa as mãos nas solas do pé para tirar a areia, coloca um Croc e sai.

* * *

– Fiora, tu sabe tanto quanto eu, há quantos anos a gente se conhece e...

– Por favor, Delgado. Vá ao ponto.

– Ok. Dois assuntos. O Ministério da Justiça já entrou em contato com Lisboa, Cabo Verde e a Dinamarca. Vamos fazer de tudo para trazer a mulher para cá.

O delegado Delgado parou de falar. Fiora temia pelo segundo assunto. Mas já imaginava o que era.

– O *Diário Catarinense* me ligou. Vou resumir pra ti. A manchete de amanhã: "*Serial killer* era amante de agente policial".

Apesar da música ao vivo bem alta, o silêncio entre os dois era até audível.

– Vou ser demitido?

– Tem uma saída.

– Eu pedir demissão.

– Não, você vai ser aposentado... É triste eu ter que te dizer, mas/

– Não tenho nada a dizer a meu favor, companheiro.

– Não sei o que dizer.

– Não diga nada.

O aposentado Ugo Fioravanti Neto se levantou, deu um tapinha nas costas do seu ex-chefe e saiu andando pela chuva, como se fosse Jules Maigret. Jamais Gene Kelly.

* * *

Fiora entrou na sua sala, todos olharam para ele, querendo saber. Darwin havia chegado. Ele não olhou para ninguém.

Entrou no quarto de Valentim que dormia gostoso. E começou a ler:

– Quando ele era mais jovem chegou até a ir falar com o padre para se confessar. Ele achava que era pecado soltar pum. Mas o padre foi logo consolando ele: – Imagina, João do Pum. Todo mundo solta. É que ninguém fica comentando por aí. Eu mesmo solto os meus. Mesmo durante a missa. Sua Santidade, o papa, solta. Cristo soltava pum. Quem é que me garante que quando Cristo estava pregado lá na cruz, aflito daquele jeito, não soltou os seus puns de dor? Até mesmo o Super-Homem solta seus puns de criptonita. Sem falar no pum verde do Hulk. O da Mulher Maravilha então é uma maravilha. Vá em paz, meu filho.

Fiora parou de ler, fechou o livro, pegou o violino e deitou seu enorme corpo ao lado do filho.

Começou a tocar a triste *Sonata para violino*, de Bach, até chorar igual ao Valentim quando ficava com medo das ondas altas do mar bravo.

“– As pessoas mais calmas e meigas são, em geral,
capazes das mais súbitas e inesperadas violências.
Por uma simples razão: quando perdem
o controle, perdem-no completamente.”

HERCULE POIROT, DE AGATHA CHRISTIE

CAPÍTULO 26

EPÍLOGO

Finalmente a Til viu a porra vermelha.

Naquela noite, Fiora resolveu que iria ser detetive particular. Mas jamais aceitaria trabalho para investigar cornos.

* * *

Tudo que foi narrado aqui aconteceu há cinco anos, mas só agora o Fiora – de quem fiquei amigo – me liberou para publicar.

Muita coisa aconteceu aqui na Ilha em que vivemos, neste pequeno espaço de tempo. O trânsito piorou, os carros começaram a ultrapassar pela direita, alguns prédios foram pichados, as ruas ficaram mais esburacadas e acho que até ouvi uma buzina outro dia. O Figueirense e o Avaí vão tocando e o vôlei é o melhor do país.

O **Fioravanti** abriu mesmo seu escritório de detetive e vai de vento em popa. Praticamente casado com a Til, trabalha só terça, quarta e quinta. O resto pertence ao Valentim e aos livros policiais. Às vezes me conta os casos que anda desvendando. Já disse para ele que dá um bom livro de contos.

A casa noturna da **Til**, a *Black Tie*, desde a inauguração, com *show* da Maria Bethânia, já é, de longe, a melhor de Floripa.

O **Diogão**, aquele traficante preso no começo da história – suspeito do assassinato do primeiro membro da Venerável Grã-Ordem de São Fuldêncio do Pau Cortado, foi assassinado durante uma partida de dominó. Por um motivo bobo-bobo. Na Ilha, o dominó é levado a sério.

O carcereiro **Costinha do Santão** aposentou-se e dedica-se ao contrabando de ovas de tainha.

O **Valentim** está com dez anos e já com um metro e cinqüenta. Joga vôlei no time da Unisul. Tem futuro, o menino. Até hoje sabe de cor o texto do livro *O homem que soltava pum.*

A **Larissa** mora comigo há quatro anos e temos uma filha de três, chamada Joana. Terminou a faculdade e está preparando a tese para defender. Ou seja, tem trabalho para os próximos quinze anos.

A **dona Célia** continua trabalhando na casa do Fiora e está namorando um sargento da Militar. Ela, 55. Ele, 25.

O **delegado Delgado** é hoje deputado federal pelo DEM.

Darwin é um dos melhores policiais federais do estado. Teve mais uma menina com a **Fabiana,** que continua cada vez mais gorda e sabendo da intimidade de todos os globais. Seu filho **Tomás** operou aquele problema que tinha no coração. Está ótimo.

Michela Sarti, **Ana Paula Coimbra** e **Jeanine Fiuza**, aquelas que foram passar as férias no Caribe, estão todas casadas e chatas pra caralho. Riquinhas.

O garçom **Mário,** que finalmente se aposentou do restaurante Ataliba, abriu um boteco no Kobrasol e colocou dentadura.

A **dona Dirce**, aquela viúva que vomitou no avião, se apaixonou por outra viúva de São Luís e ninguém entendeu absolutamente nada.

O **Tico** e a **Alessandra**, que estavam no mesmo vôo, em viagem de lua-de-mel, já se separaram, é claro.

Joaquim Açores, o policial de São Luís, foi preso por corrupção passiva, formação de quadrilha e aquelas coisas todas. Está para sair.

Doutor Jorge Massami, delegado da Federal no Maranhão, suicidou-se mais ou menos na mesma época. Não deixou carta.

Júlia Schneider, que tinha o olhar perdido aos 19 anos, filha do segundo morto, não faz mais nada na vida a não ser engordar.

Ficou com toda a herança da sua avó – que faleceu há quatro anos. Largou o noivo, desconfiada de golpe do baú. O olhar continua perdido aos 24 anos.

A **dona Leocádia**, avó dela, morreu, portanto. E o **Alexandre Freire Neto**, na época noivo da Júlia, sumiu definitivamente de cena. Dizem que trabalha num posto de gasolina em Miami. Outros dizem que virou viado.

Maria Alice Stulmann, que agora tem 35 anos, continua secretária do delegado Delgado, só que, agora, em Brasília. A esposa do Delgado parece que não sabe de nada.

Carmen Sílvia Ferraz é aquela amiga que a mulher do Darwin, a Fabiana, queria empurrar para o Fiora. Ainda não foi empurrada pra ninguém. Continua obturando dentes.

A filha dela, **Eduarda**, com 13 anos, está simplesmente insuportável. A **Dircinha**, nada a acrescentar.

A mãe da cabo-verdiana **Adélia Pinto**, que estava entre a vida e a morte, não morreu. Já o comandante **senhor Quincas** continua protético e piloto em Cabo Verde. E com a mesma dor de dentes.

A **doutora Filomena**, aquela simpática dona da farmácia, morreu de velha. Outro que morreu nos últimos cinco anos foi o **delegado senhor doutor Cintra**. Afogado numa pescaria em alto-mar, perto da ilha de São Vicente.

Germano Almeida é cada vez mais o maior escritor do arquipélago. Dê uma olhada no Google. Já se separou da **Donana** e já tem outra filha. A outra, a **Aninha**, quase 10 anos, já falando português fluentemente.

O **Juan Gutierrez**, o do quarto 201, do hotel em Mindelo, cumpre a sua pena em Criciúma.

Janete Sandoval, viúva do Zé do Carmo, assumiu seu caso com o **Jayminho**, aquele que deu o golpe do avião. Os filhos **Junior**, **Kleberson**, **Cleyson** e **Everton** não deram muito certo na vida. Talvez por causa dos nomes. Já o **Carminho** continua um amor de garoto. Meio geniozinho, mas tudo bem.

A **dona Regina**, empregada do sítio de Corrêas, está com o mal de Alzheimer. Maluquinha, maluquinha. Mas dócil, como sempre.

A **Denise**, secretária do Fiora, saiu com ele da Polícia Federal e continua como sua secretária. E continua a se masturbar, como sempre.

Aquela puta velha do Recife, a **Clotilde**, a Clô, não mudou nada. Só que agora é uma puta velhíssima.

As gêmeas do doutor Abud, **Maria Lúcia** e **Maria Regina**, largaram a faculdade de arquitetura em São Paulo para tocar a clínica contra cigarros em Guaiçara. Estão solteiras e fumam maconha o dia inteiro.

A bezerrinha **Marilyn** virou uma vaca.

Aquela garota de programa **Kelly** sumiu. O **Jorge Leão**, ex-embaixador, morreu há alguns anos. **Joaninha** e **Claudete** continuam a fazer o que sempre fizeram. No telefone. **Serjão Mato-Grosso** mudou-se para o Rio de Janeiro e se deu superbem. É protagonista de filmes pornôs. Já comprou cinco apartamentos em Uberaba.

O **Osório**, que fugiu de jatinho com a Gertrudes, até hoje tem se correspondido com a dinamarquesa por *e-mail*.

José do Patrocínio, que era o motorista do ônibus, morreu assassinado num assalto dentro da viatura, na Boa Viagem. O cobrador **Luiz Roberto** subiu de vida e agora é motorista.

A **Nara Córdoba**, ex-Jayminho, organiza o concurso de Miss Rio de Janeiro para a Band.

Os donos do spa (que fechou um mês depois do crime), o **Pereira** e o **Cabral**, mudaram de ramo. Têm uma clínica de estética em Jaguariúna, chamada "Que Gracinha"! A **Gladys Regina** trabalha para eles como podóloga. E aquela paciente do spa, a **dona Cleonice** vende imóveis em San Diego, na Califórnia. O **doutor Bráulio** continua a colorir espermas alheios. E o **Natalino** foi como segurança para a clínica de estética.

E ninguém mais sabe falar nada da **Adriana**, aquela aluna que estava com o professor Hans no spa. Há quem diga que ela anda em Oxford.

O **Godô** comprou um pequeno castelo na Floresta Negra, perto de Munique. Há muito tempo já chegou à conclusão que o dinheiro herdado não vai acabar nunca. Apesar do cotoco, casou-se com uma croata e dizem que são muito felizes. Seu amigo **Tórci** o visita com freqüência nas férias, quando não está viajando com o Figueirense. É massagista.

O **delegado doutor Ermínio Tropovisky** é hoje diretor do Avaí. **Waldomiro Montanha**, cada vez mais vesgo, é grão-mestre, grau 33, da maçonaria. **José Honório de Vasconcelos**, que era craque com as picanhas, morreu há quatro anos. Tudo começou com uma micose na virilha...

A **Sigrid**, irmã do Godô, continua morando em Munique. Para ter alguma coisa para fazer abriu um bar chiquérrimo. E o **Franz Staudinger** voltou definitivamente para a Alemanha.

Fernando von Kruger, o motorista da Federal, também foi levado para Brasília, pelo deputado Delgado. Casou-se por lá. **Fábio Brant de Carvalho**, piloto da Federal, continua piloto da Federal. **Sousa**, **Pederneira** e **Arruda** continuam cabeçudos.

Pela sua atitude no caso Gertrudes, o agora ex-embaixador **Ole Olsen** foi expulso da chancelaria dinamarquesa e hoje dirige um banco no interior do país.

A **Gertrudes**, ah, a Gertrudes desapareceu pelo mundo. Teve um filho, que hoje está com quase cinco anos. Ela garante que é do Fiora.

Mas esta é uma outra história.

POSFÁCIO MAIS QUE NECESSÁRIO

Conforme você leu no livro, Fioravanti tinha uma enorme biblioteca de livros policiais na sua praia. E quando ele falava – principalmente com Darwin – citava, descaradamente, trechos e mais trechos de vários detetives e investigadores de autores consagrados. Até hoje me pergunto se ele tinha noção do plágio ou se tudo aquilo estava enraizado na cabeça dele, deixando-o sem saber o que era dele ou era um texto de ficção.

A seguir, textos usados por Fioravanti. Peço desculpas aos autores supra surrupiados:

* * *

Os dedos grossos enrolaram um cigarro com um zelo minucioso, jogaram uma porção bem medida de fumo dentro do papel recurvado, espalharam os flocos de modo que se distribuíssem por igual, nas duas extremidades, e ficasse uma ligeira depressão no meio. Os polegares enrolaram a borda interna do papel sobre a borda externa, enquanto os indicadores apertavam do outro lado. Em seguida os polegares e os indicadores deslizaram até as duas pontas do cilindro de papel para o manter esticado, enquanto a língua lambia a aba, depois o indicador e o polegar esquerdos alisavam a junção úmida, o indicador e o polegar direitos torceram uma ponta e ergueram a outra até a boca.

(Sam Spade, enrolando um cigarro careta como ele, de Dashiell Hammett,[100] em *O falcão maltês*)

* * *

– Deus está nas coincidências. (Nelson Rodrigues,[101] em *Engraçadinha depois dos trinta*)

* * *

Por fim pegou a navalha. De repente, Engraçadinha o viu fazer um risco intenso e luminoso. Era a luz quebrando-se na lâmi-

---

[100] **Dashiell Hammett** nasceu no condado de St. Mary, Maryland, em 27 de maio de 1894. Cresceu na Filadélfia e em Baltimore. Abandonou a escola com 14 anos e passou a trabalhar como mensageiro, entregador de jornal, escriturário, apontador de mão-de-obra e estivador, entre outros empregos. Aos 20 anos, foi trabalhar na Agência Pinkerton de detetives. Em 1918, alistou-se no Corpo de Ambulâncias do Exército. Depois da guerra, com tuberculose, vagou de sanatório em sanatório e voltou à agência Pinkerton, demitindo-se em seguida para se dedicar à literatura. Bebia muito. Suas histórias começaram a ser publicadas em revistas baratas e populares como *Black Mask* e *Smart Set*. Imediatamente chamaram a atenção do público e da crítica, e Hammett foi reconhecido como um grande escritor, responsável por uma renovação no gênero policial. Autor de livros de sucesso, como: *Seara vermelha* (1929), *O falcão maltês* (1930) – sucesso também no cinema, dirigido por John Huston –, *A chave de vidro* (1930); *Mulher no escuro* (1933) e *Continental OP* (1945), e de uma infinidade de contos. Hammett trabalhou regularmente para o cinema em Hollywood. Na década de 30, conheceu a jovem escritora Lillian Hellman, a quem esteve ligado até a morte. Durante a II Guerra, serviu novamente como sargento do exército americano. Homem de esquerda assumido e simpatizante do Partido Comunista Americano, foi vítima da "caça às bruxas" promovida pelo senador Joseph McCarthy no início da década de 50. Recusando-se a colaborar com a comissão que investigava atividades supostamente subversivas na indústria cinematográfica, foi preso e incluído na lista negra que impedia os artistas de trabalharem na indústria cinematográfica. Amargurado e muito doente, Dashiell Hammett morreu a 10 de novembro de 1961, em Nova York. (Thanks L&PM.)

[101] **Nélson Falcão Rodrigues** (Recife, 23 de agosto de 1912 — Rio de Janeiro, 21 de dezembro de 1980) é um dos mais importantes dramaturgos, jornalistas e escritores brasileiros do século XX. Sugiro a leitura do livro do Ruy Castro, *O anjo pornográfico*, da Companhia das Letras. Vale a pena.

na viva. Na sua mão, a navalha tornou-se ainda mais leve, macia, diáfana. Ele feriu a alma da própria carne. Foi um golpe único e exato. Decepado, o cacho do sonho e da vida pendeu de um filete vibrante. Finalmente, soltou-se. (Nelson Rodrigues, em *Engraçadinha depois dos trinta*)

* * *

– Por princípio, desconfio de pessoas com álibi. (*Miss* Jane Marple, de Agatha Christie,[102] em *Mistérios no Caribe*)

* * *

– Eu tenho um excelente sentido de percepção para o mal. Já me aconteceu várias vezes sentir uma apreensão, uma intuição da presença do mal nas minhas proximidades, nas imediações, dandome a sensação de que um agente do mal se achava por perto, ligado com o que estava acontecendo. É meio parecido com o sentido do olfato muito apurado. A gente é capaz de sentir um escapamento de gás que os outros não notam. E de distinguir, com a maior facilidade, um perfume de outro. Eu tive uma tia que se dizia capaz de farejar mentiras à distância. Ela afirmava que o cheiro era bem nítido. O nariz do mentiroso tremia, segundo ela, e aí vinha o cheiro. Várias vezes ela acertava de maneira notável. (*Miss* Jane Marple, Agatha Christie, em *Nêmesis*)

* * *

---

[102] **Agatha Mary Clarissa Mallowan** (Torquay, 15 de setembro de 1890 — Wallingford, 12 de janeiro de 1976), mundialmente conhecida como Agatha Christie, é uma romancista policial britânica autora de mais de oitenta livros. Criou os famosos personagens Hercule Poirot, *Miss* Marple, Tommy e Tuppence Beresford, Parker Pyne e Mr. Harley Quin. Conhecida no mundo todo como A Rainha do Crime.

– E qual o problema? Qual o problema de gostarmos dos costumes antigos, das tradicionais festividades? Que mal há nisso?

– Não há mal algum. É tudo muito encantador! Mas examinemos os fatos por um instante. Você disse que o Natal é uma época de comemorações. Isto significa muita comida e bebida, não é mesmo? Isso quer dizer, na verdade, comida em excesso! E comendo em excesso, lá vem a indigestão! E com a indigestão vem a irritabilidade!

– Os crimes não são cometidos por irritabilidade.

– Não tenho tanta certeza! Vejamos outro aspecto. Existe, no Natal, um espírito de boa vontade. É, como vocês dizem, "o que se deve fazer". Velhas brigas são esquecidas, os que entraram em desacordo consentem em concordar mais uma vez, mesmo que seja temporariamente.

– Fazer as pazes, isso mesmo.

– As famílias, agora. Famílias que estiveram afastadas durante o ano todo, reúnem-se mais uma vez. Bem, nessas condições, meu amigo, você tem que admitir que haverá muita tensão. Pessoas que não se sentem cordiais fazem um grande esforço para aparentar cordialidade! Existe, no Natal, muita hipocrisia, hipocrisia louvável, hipocrisia gerada *pour le bon motif, c'est entendu,* mas, ainda assim, hipocrisia!

– Bem, eu não colocaria as coisas exatamente assim.

– Não, não. Sou eu que estou colocando assim, não você. Estou chamando sua atenção para o fato de que, sob estas condições, tensão mental, *malaise* físico, é bastante provável que desavenças antes meramente ligeiras e discórdias antes triviais possam subitamente assumir um caráter mais sério. O resultado de uma pessoa fingir-se mais amável, com maior capacidade de perdoar, de espírito mais elevado do que realmente é, provoca, mais cedo ou mais tarde, um comportamento mais hostil, mais impiedoso, mais desagradável do que o momento exige! Se você reprime a corrente de comportamento natural, *mon ami,* mais cedo ou mais tarde a represa arrebenta e ocorre um cataclismo. (Hercule Poirot, de Agatha Christie, em *O Natal de Poirot*)

* * *

– Os criminosos geralmente erram. É o que diz a nossa experiência. (Hercule Poirot, de Agatha Christie, em *O Natal de Poirot*)

* * *

– O caráter da vítima sempre tem algo a ver com seu assassinato. A mente franca e inocente de Desdêmona foi a causa direta da sua morte. Uma mulher mais desconfiada teria percebido as maquinações de Iago e contornado-as muito antes. As impurezas de Marat conduziram-no diretamente para seu fim na banheira. Do temperamento de Mercúcio adveio sua morte na ponta de uma espada. (Hercule Poirot, de Agatha Christie, em *O Natal de Poirot*)

* * *

– *Mon cher*, há no homem toda espécie de instintos profundos que ele mesmo desconhece. O desejo de sangue, a necessidade do sacrifício! (Hercule Poirot, de Agatha Christie, em *O Natal de Poirot*)

* * *

– Não tenho medo da loucura e sim da lucidez. (Hercule Poirot, de Agatha Christie, em *A noite das bruxas*)

* * *

– Nós somos todos racistas! Sem exceção. As pessoas com mais de quarenta anos são piores e esta que é a verdade. Nós fomos criados para nos considerarmos superiores aos negros. Oh, pode não ter sido uma coisa explícita, mas estava lá. Nós fomos condicionados desta forma e isto está em nós, é impossível arrancar! (Inspetor Wexford, de Ruth Rendell,[103] em *Simisola*)

* * *

Estilo georgiano, com um pórtico sustentado por pilares e com uma balaustrada que corria ao longo do telhado raso, uma casa grande, branca, de janelas de proporções perfeitas, as colunas caneladas. Em nichos dos dois lados da porta da frente, havia vasos de pedra trabalhada com hera e samambaia. Se fosse de cascalho ficaria melhor, mas a entrada de carros era pavimentada. As barricas e gamelas que enchiam o caminho continham loureiros e ciprestes amarelos, brincos-de-princesa vermelhos em flor, arbustos laranja e creme, pelargônios cor-de-rosa. Em contraste, os canteiros estavam nus, terra revolvida com um pouco de mato. (Ruth Rendell, em *Simisola*)

* * *

– Notei que ela era uma dessas raras pessoas capazes de dar um abraço sem dar palmadinhas nas costas. (Inspetor Wexford, de Ruth Rendell, em *Um assassino entre nós*)

* * *

---

[103] **Ruth Rendell**, nasceu na Inglaterra em 1930, onde vive. É a autora de *Road Rage*, *As chaves para a rua*, *Bloodlines*, *Simisola*, *O crocodilo* e *Bird*. Na minha opinião, seu melhor livro é *Um assassino entre nós*. Ela é a vencedora do Mystery Writers da América Grand Master Award. Também é a ganhadora de três Edgars dos Mystery Writers da América, importante prêmio para escritores de policiais e quatro Daggers de Ouro da Grã-Bretanha da Crime Writers Association. Em 1997, foi nomeada *Lady* pelos pares na Câmara dos Lordes. É autora do livro que deu origem a *Carne trêmula*, do Almodóvar.

– *O nome da rosa*, de Umberto Eco, é um romance detetivesco, construído com o emprego adequado de elementos tradicionais desse tipo de literatura; e com a intenção visível desde as primeiras linhas, de homenagear – mais do que parodiar – o modelo do investigador criado por Arthur Conan Doyle. Seu "detetive" é um frade franciscano inglês que atende pelo nome de William de Baskerville, e todo aficionado da literatura policial há de lembrar-se que *O cão dos Baskerville* é o título de um dos mais apreciados casos de Sherlock Holmes. O companheiro e auxiliar do franciscano, mais tarde cronista daquela aventura invulgar, é um noviço adolescente, cuja semelhança com o doutor Watson, começa pelo nome, Adso, e se completa com a ingenuidade aparente de seu comportamento. (Mário Pontes,[104] em *Elementares*)

* * *

– Como até um louco nada faz sem razão, deduzi que o criminoso sente necessidade de desafiar o destino, ou desafiar as pessoas que ataca. Certas pessoas têm a necessidade de se afirmar, nem que seja por um crime, ou uma série de crimes, às vezes para provar para si mesmas a sua potência, ou importância, ou coragem. Outras estão convencidas de que precisam vingar-se dos seus semelhantes. O que eu busco é o tipo de lógica que norteia os fatos e os gestos do desconhecido. Quando o descobrirmos, estaremos perto de agarrá-lo. (Inspetor Maigret, de Georges Simenon,[105] em *O medo de Maigret*)

---

[104] Veja a nota 75.

[105] **Georges Joseph Christian Simenon** (Liège, 12 de fevereiro de 1903 — Lausanne, 4 de setembro de 1989) é um escritor belga de língua francesa. Romancista de uma fecundidade extraordinária: escreveu 192 romances, 158 novelas, além de obras autobiográficas e numerosos artigos e reportagens com seu nome e mais 176 romances, dezenas de novelas, contos e artigos com 27 pseudônimos diferentes. As tiragens acumuladas de seus livros atingem mais de 500 milhões de exemplares. É o autor belga, e o quarto autor de língua francesa, mais traduzido em todo o mundo. Seu personagem mais famoso é o comissário Maigret, personagem de 75 novelas e 28 contos.

* * *

– Todo louco tem a sua lógica. Um louco que viveu a vida inteira sem que pessoa alguma percebesse a sua loucura não começa a matar sem razão. Precisa ao menos ser provocado. É preciso uma causa, que talvez pareça insuficiente a uma pessoa sensata, mas que para ele é o bastante. (Inspetor Maigret, de Georges Simenon, em *O medo de Maigret*)

* * *

– O ministro está impaciente, por causa dos jornais...

– Sempre os jornais! E, acima de tudo, o medo dos jornais, da opinião pública. Tão logo um crime é cometido, somos pressionados a encontrar imediatamente um culpado, custe o que custar. (Inspetor Maigret, de Georges Simenon, em *Memórias de Maigret*)

* * *

– Depois de quarenta anos na polícia, fico sempre impressionado diante de um homem que mata.

– Por quê?

– O sujeito que mata outra pessoa, se separa, de certa maneira, do mundo em torno dele. De um minuto para outro deixa de ser igual aos seus... semelhantes, digamos assim. Mesmo os verdadeiros homicidas, quando se mostram agressivos, sarcásticos, fazem isso porque têm necessidade de se exibir pra eles mesmos como se ainda fossem iguais aos outros homens. (Inspetor Maigret, de Georges Simenon, em *O punhal assassino*)

* * *

– Darwin afirmava que o poder de produzir e apreciar música existia entre a raça humana muito antes do poder da fala. Talvez por isso que somos tão sutilmente influenciados pela música. Há vagas lembranças em nossas almas daqueles séculos nebulosos, quando o mundo ainda estava na infância e não se precisava de detetive para saber quem matou Abel. (Sherlock Holmes, de Arthur Conan Doyle,[106] em *Um estudo em vermelho*)

* * *

– Assim como o homem que cuida do físico vibra com sua força e habilidade física, dedicando-se com entusiasmo aos exercícios que põem seus músculos em ação, assim o investigador policial se glorifica naquela atividade moral que desembaraça e deslinda. Encontra prazer até mesmo nas ocupações mais triviais que lhe permitem exercer seus talentos. Ama os enigmas, os paradoxos e os hieróglifos; exibe, na solução de cada mistério, um grau de perspicácia que parece sobrenatural para as pessoas de compreensão mais ordinária. Seus resultados, ainda que obtidos através da própria alma e essência do método, apresentam, de fato, todo o aspecto da intuição. (Auguste Dupin, de Edgar Allan Poe, em *Assassinatos na rua Morgue*)

* * *

– O único que se antecipa aos acontecimentos é o assassino. (Pepe Carvalho, de Manuel Vásquez Montalbán,[107] em *A rosa de Alexandria*)

---

[106] Aliás, **Sir Arthur Conan Doyle.** Creio não ser necessário dizer nada. Nasceu em 22 de maio de 1859, em Edimburgo, Escócia, e morreu em 7 de julho de 1930, em Windlesham, Sussex, Inglaterra. Escreveu sessenta livros com o detetive mais famoso do mundo, Sherlock Holmes.

[107] **Manuel Vásquez Montalbán**, nasceu em Barcelona, em 1939, e faleceu em Bangcoc, em 2003. Um dos mais conhecidos escritores espanhóis da atualidade, imortalizou o detetive Pepe Carvalho. *Os mares do Sul, O quinteto de Buenos Aires, O labirinto grego*, só para citar algumas de suas obras-primas do romance policial.

* * *

– Temos que ter a capacidade de ver o que é invisível. De observar o que é estranho naquilo que parece natural. (Inspetor Kurt Wallander, de Henning Mankell,[108] em *Os cães de riga*)

* * *

– O trabalho policial é, em sua maior parte, rotineiro e chato, mas muito de vez em quando surgem momentos de inspiração e emoção. Um encantamento quase infantil em brincar com alternativas viáveis. (Inspetor Kurt Wallander, de Henning Mankell, em *O homem que sorria*)

* * *

– Às vezes, é preciso apenas tocar um livro, ou olhar para o rosto de uma mulher, para fazer o coração de um homem disparar novamente. (Detetive Cliff Janeway, de John Dunning,[109] em *A promessa do livreiro*)

* * *

– Mesmo depois de tantos anos de polícia, não consigo entender por que as pessoas gostam tanto de ver de perto a morte de uma

---

[108] **Henning Mankell** (3 de fevereiro de 1948) é escritor sueco, criador de Kurt Wallander. Nasceu em Estocolmo. Na Suécia, Mankell é também conhecido como escritor de literatura infantil. Tem também uma paixão pelo teatro, sendo autor de várias peças. Sua atividade teatral é maior desde que fundou a *troupe* Teatro Avenida, em Moçambique, onde mora atualmente.

[109] **John Dunning** nasceu em Nova York em 1942 e vive hoje em Denver, Colorado. Autor, dentre outros *best-sellers*, de *Impressões e provas*, considerado pelo *New York Times*, como um dos melhores livros de 1992 e de *A promessa do livreiro*. Apaixonado por livros raros, tem uma livraria virtual chamada Old Algonquin Books.

pessoa. É um mistério que eu nunca fui capaz de desvendar, esse sórdido fascínio pelo fim da vida, sobretudo quando é violento. (Inspetor Guido Brunetti, de Donna Leon,[110] em *Morte em terra estrangeira*)

* * *

– O segredo do sucesso da polícia não depende das deduções brilhantes nem da manipulação psicológica dos suspeitos, mas sim do mero fato de os seres humanos tenderem a supor que seu próprio nível de inteligência é a norma, o padrão, e a agir de acordo com tal suposição. Por isso, os bobos não tardam a ser capturados, pois a idéia que têm de esperteza é tão lamentavelmente precária que os transformam numa presa óbvia. Em compensação, essa mesma regra dificulta muito o trabalho quando eu topo com criminosos inteligentes e corajosos. (Inspetor Guido Brunetti, de Donna Leon, em *Morte em terra estrangeira*)

* * *

– Um homem caminhava com o passo de alguém que não quer que ninguém saiba que está bêbado. (Matt Scudder, de Lawrence Block,[111] em *O ladrão no armário*)

* * *

– Era um bar *gay*. Ou, mais precisamente, a clientela do bar era *gay*. Ele entendeu isso imediatamente, ao observar os homens

---

[110] **Donna Leon** nasceu nos Estados Unidos, em 1942. Vive desde 1981 em Veneza, onde é professora universitária. Ficou célebre ao criar o inspetor italiano Guido Brunetti.

[111] **Lawrence Block**, nascido nos Estados Unidos em 1938, é um dos maiores autores de romances policiais de todos os tempo. Escreveu mais de 40 livros e, pela total da obra, recebeu o título de Grão-Mestre dos Escritores de Mistério da América. Quem quiser conhecer bem Nova Iorque, através de crimes misteriosos, deve ler *Cidade pequena*. É também organizador de várias coletâneas de contos policiais.

que entravam e saíam. Não havia mulheres entre os clientes, o que já era um indicador em si, mas dava para saber só de olhar os homens. Embora muitos não fossem perceptivelmente *gays*, coletivamente não podiam ser outra coisa. Eram jovens na maioria, e quase todos esguios. Até os mais velhos tendiam a parecer jovens, pelo menos de longe. Uns poucos travestis. Por que não existem travestis baixos? (Matt Scudder, de Lawrence Block, em *Cidade pequena*)

* * *

Um texto só se dará por terminado no momento em que nós o ultrapassarmos. (Ernest Ripper, de Jean-Pierre Gattégno,[112] em *Um lugar entre os vivos*)

* * *

– Você me pergunta por que eu sou tira. Talvez porque nessa profissão temos coisas para procurar e alguma chance de encontrálas. Consola a gente do resto. Porque no resto da vida, ninguém pede para a gente procurar coisa nenhuma, e não tem perigo de a gente achar, pois nem sabemos o que se está procurando. Alguém me disse uma vez que o melhor jeito de a gente não ter medo da morte é levar uma vidinha de babaca. Assim a gente não pode sentir falta de nada. (Delegado Jean-Baptiste Adamsberg, de Fred Vargas,[113] em *O homem dos círculos azuis*)

* * *

– Há dez anos, talvez ele não tivesse a idéia de matar. Mas dez anos depois, a situação era bem outra. O cara saiu da prisão

---

[112] **Jean Pierre-Gattégno**, nasceu em 1944, na França, filho de mãe grega e pai turco. Formado em letras. *Um lugar entre os vivos, A noite do professor, Neutralidade suspeita*, entre outros.
[113] Veja a nota 30.

obcecado pela vingança. Na prisão, é fácil se obcecar. Obcecar-se é praticamente o único recurso lá dentro. Quando ele saiu já tinha o que fazer. (Delegado Jean-Baptiste Adamsberg, de Fred Vargas, em *Fuja logo e demore para voltar*)

* * *

– Um dos modos mais agradáveis de passar uma tarde é ter Sherlock Holmes como companhia. (Jorge Luis Borges[114])

* * *

Quando cruzava o *hall*, uma mulher se levantou da *bergère* estampada. Parecia ter uns 28 anos. Uma basta cabeleira encaracolada caía um pouquinho abaixo de seus ombros. Seu rosto era um triângulo invertido, afunilando da boca pequena até o queixo bem delineado. Sua boca brilhava com um batom escarlate, os olhos estavam bastante maquiados, e, se suas pestanas eram naturais, com certeza tiveram seu crescimento estimulado por altas doses de fertilizantes químicos.

Ela piscou repetidamente aquelas extraordinárias pestanas. Acima delas, duas linhas curvas substituíam as sobrancelhas que Deus lhe dera. Se vossas sobrancelhas vos ofendem, arranquem-nas.

Ela parecia o sonho de um masoquista, interpretado pela pena febril de um cartunista adolescente. Sapatos pretos de saltos bem altos e com tiras nos tornozelos. Calças de vinil tipo molhado, tão justas que pareciam pintadas. A blusa de um vermelho-sangue era apertada e colante o suficiente para evitar que alguém se esquecesse, mesmo que momentaneamente, de que os seres humanos são mamíferos.

Ela não se sentou, nem disse seu nome. Seu rosto anuviou-se por um minuto, e então ela baixou os olhos e colocou a mão dentro da bolsa.

---

114 Acho que não preciso dizer nada sobre ele.

Sua mão reapareceu com uma arma.

– Seu filho-da-puta – ela falou. – Fique onde está, seu filho-da-puta, ou estouro a porra dos seus miolos.

Fiquei onde estava, ela ficou onde estava, e a arma ficou onde estava. Em sua mão, oscilando um pouco mas não muito, apontando diretamente para mim.

Não parecia um canhão. Nos livros as armas que são apontadas aos detetives sempre parecem canhões, e suas bocas são sempre descritas como cavernas. Aquela arma era indiscutivelmente pequena. O tamanho exatamente proporcional à mãozinha dela. Esta última, reparei, era bem formada, com as unhas pintadas da cor exata da bolsa e do batom. E o revólver, claro, era preto, uma pistola automática plana, com um cano de menos de cinco centímetros. Tudo naquela moça era vermelho ou preto. Seu autor preferido tinha de ser Stendhal.

Não gosto de armas. São maquinetas infernais fabricadas apenas com o propósito de matar pessoas, e esse é um propósito que eu deploro. As armas me deixam nervoso e faço o que posso para evitá-las, e, conseqüentemente, não sei muito sobre elas. (Bernard Rhodenbarr, de Lawrence Block, *em Cidade pequena*)

* * *

PS – O meu muito obrigado à Wikipédia, de onde chupei as biografias dos *serial killers* e muito me ajudou nas dos escritores de livros policiais.

Floripa, 28 de agosto de 2008, 21h56, 19 graus

Este livro foi composto em Minion
para a Editora Planeta do Brasil
em novembro de 2008.